C000151641

Table des Matières

DIEU M'A CHOISI

MA VIE AVEC CHRIST

Moralès Gaintilus

2024 par © Moralès Saintilus

ISBN: 978-1-963917-16-1 (couverture rigide)
ISBN: 978-1-963917-15-4 (couverture souple)
ISBN: 978-1-963917-17-8 (ebook)
Numéro de Control de la Librairie du Congrès: 2024906638

Tous droits réservés uniquement par l'auteur. Aucune partie de cet ouvrage ne peut être reproduite, ou transmise sous quelque forme que ce soit, électronique ou mécanique, y compris la photocopie, l'enregistrement ou par tout système de stockage et de récupération d'information, sans l'autorisation écrite expresse de l'auteur, sauf dans les cas de brèves citations corporées dans des critiques et certaines autres utilisations non commerciales autorisées par la loi sur le droit d'auteur. Toutes les citations bibliques proviennent de Louis Second revisée. Domaine publique.

Imprimé aux Etats-Unis d'Amérique.

Prologue

. Plus de cinquante ans de cela, ou à l'âge de onze ans, un homme en vêtement blanc m'était apparu en songe et m'a dit: "L'**Éternel t'a choisi parmi les tiens et tu lui appartiens**". Pour confirmer son appel dans ma vie, le Dieu tout-puissant m'a fourmillé de révélations et d'interventions divines. Il m'a ensuite accordé de grandes délivrances en face de grands dangers.

Le boulevard du Cap-Haïtien fut considéré comme un centre d'études pour tous les étudiants soucieux, partant des classes élémentaires jusqu'à la philosophie. Le 4 Mai 1974, à deux heures de l'après-midi, pendant que j'y étudiais, un homme de cinq pieds sept pouces environ, avec sa valise en main, s'approchait de moi et m'a dit: "**Tu deviendras un grand serviteur de Dieu; mais, prépare-toi pour une guerre sans merci avec Satan et ses émissaires. Ils rallieront tous leurs alliés pour être sûrs que ton nom soit à jamais effacé sur la face de la terre. Tu seras frappé, à plusieurs reprises, par de grandes détresses; mais son plan ne sera pas réalisé, car le Seigneur viendra à ton secours**", et il s'en était allé. En effet, j'étais si sérieux et attaché à mes études que je me sentais vraiment dérangé par cet interlocuteur inopiné; mais, par politesse, je l'écoutais. Ç'a fait déjà trente trois ans pendant que j'écrive cet ouvrage, et je me rappelle de ce moment, come si cet homme se tient encore debout devant moi.

Je faisais peu de cas à ce qu'il avait à dire et, après son départ, je continuais mes études avec plus de concentration. De plus, on a titré ces genres d'hommes, à des prophètes de malheur, des diseurs de bonnes aventures, des médiums et j'en passe. Aujourd'hui, j'ai réalisé que tout ce qu'il a prédit fut accompli à la lettre. Le Saint-Esprit m'a encouragé de prendre et de conserver des notes précises de presque tous les évènements de ma vie; qu'ils fussent heureux ou fâcheux.

Pourtant, je n'ai jamais eu la prétention d'écrire de livre. Car j'ai toujours pensé, à mon jeune âge, que le métier d'écrivain a été seulement réservé aux génies. Mais, après un miracle spectaculaire que l'Éternel a accompli dans ma vie, miracle qui a mis devant moi, toutes les grâces et les délivrances que l'Éternel m'a accordées en partage, j'ai décidé d'écrire un livre dont les pages contiendraient les merveilles du Tout-Puissant dans ma vie. Je n'ai jamais eu la bénédiction d'atteindre ce beau rêve qui m'a hanté, il y a, à peu près, neuf ans.

Après ces longues années, l'Éternel l'a scellé de son propre sceau, et a procédé à sa réalisation. Je le répète: j'ai toujours pensé que la profession d'écrivain ou écrivain chrétien ne serait jamais réalisé dans ma vie pour deux raisons: premièrement, dans l'environnement où j'ai grandi, j'ai observé qu'un petit pourcentage, parmi les plus fortunés, avait la chance de fréquenter l'école; et une fraction de ce taux presque négligeable, avait la fortune d'atteindre une haute éducation; deuxièmement, mes parents étaient de durs laboureurs, juste pour être sûrs que nous, leurs enfants, n'eussions pas souffert de faim. Cependant, ils n'ont pas eu la pensée de nous offrir une haute éducation, en raison de leur situation économique et de l'attitude de mon environnement qui a pensé qu'une haute éducation et même une éducation ordinaire n'étaient pas nécessaires. Mais, l'Éternel a prouvé simultanément que ma déduction était vraie et le contraire l'était de même. Ma déduction était vraie, en ce que, plus de quarante ans après ma première révélation et toutes les révélations qui s'en suivaient, il ne m'était jamais monté à l'esprit même une simple conjecture d'écrire de livre. Le contraire l'était de même, étant donné que l'Éternel m'a permis, miraculeusement, d'accéder à une haute éducation, m'a ouvert les écluses des cieux et a placé en moi une source d'inspiration inépuisable qui m'a lié à raconter les merveilles de l'Éternel par la littérature, l'enseignement et la prédication, le reste de ma vie.

Ainsi donc, cet ouvrage que je présente aujourd'hui, et les ouvrages à paraître, dont je ne connais pas encore le nombre, ne seront pas de ma décision ou de mon intelligence, mais, celle du Dieu suprême dont la demeure est au plus haut des cieux ; dont les yeux dominent sur la terre et dans les cieux, et aussi pénètrent le tréfonds du coeur de l'homme ou de chaque être humain vivant sur la face de toute la terre.

Puisse le Seigneur, amis lecteurs, vous animer d'humilité et d'obéissance pour lire cet ouvrage avec une attention soutenue. Qu'il vous aide à y trouver une source d'inspiration et de passion qui vous conduiront aux béatitudes d'un Dieu admirable qui ne fait acception de personne: riche ou pauvre; savant ou ignorant; Juif ou païen.

Vendredi, 27 Mai, 2005
REVISÉ LE 18 DÉCEMBRE 2023

Dédicace

Je dédie cet ouvrage à mes parents décédés: Fadéus et Talicia Saintilus; ma distinguée épouse, Madame Margalie Saintilus; mon fils unique et choyé, Docteur Molain Saintilus; son aimable épouse, madame Jeanina Saintilus et leurs enfants, mes adorables petits-enfants: Angelica Saintilus et Sage Saintilus; à ces quatre cousins et cousines qui m'ont fait beaucoup de bien, depuis ma tendre adolescence jusqu'à l'âge adulte: Siliane Bissainthe, Eliette Georges, Wilson Saintilus et Alexis Francis.

À mes neveux et nièces: Sem Toussaint, Roniel Toussaint, Ernsie Dénoschamp, les jumeaux: Arnaud et Arniel Guerrier, Renaud Guerrier, Milouse Délorme, Ernise Bernadin, Vérose Rock, Anne Rock, Camanio Rock, Dadesky Rock.

À mes cousins et cousines: Wilfrid Saintilus, Willy Saintilus, Leroy Stanley Saintilus, Marie Roselène Casséus, Rinice Marie Saintilus, Henry Saintilus, Henry-Claude Saintilus, Georges Saintilus, Rose Renande Saintilus.

Remerciements

Mes remerciements vont d'abord à mon Dieu qui, dans mon indignité, m'a choisi pour faire éclater sa gloire, et à mon admirable épouse, Madame Margalie Saintilus, qui a traversé, avec moi, monts et vallées pour répondre au divin appel que le Seigneur a fait de nous.

À mes regrettés parents: Fadéus et Talicia Saintilus pour qui mon admiration et mon amour filial demeurent encore vifs dans mon cœur, étant même dans la tombe.

À mes sœurs et mon beau-frère: Madame Adélucia et Hortencius Toussaint; les regrettées, Edna Saintilus et Theana Telfort.

Notre vie ensemble, comme une seule famille, est si mémorable qu'elle demeure encore comme un dessein indélébile dans mon cerveau.

CHAPITRE I
Révélation et Confirmation

Le vendredi 27 Mai, 2005, aux environs de dix heures du matin, j'avais la bénédiction de me trouver au milieu d'une nature ensoleillée, où la brise du matin, semblable à celle du midi, caressait les feuilles vertes d'une allée d'arbres d'ornement. Elles se mouvaient à un rythme si harmonieux que tout coeur chrétien aurait pensé, tout de suite, à la majesté, à la sagesse, à la sainteté d'un Dieu si grand, si merveilleux, si infini. Partant de cette scène unique et pittoresque, je commençais à penser à la grandeur éternelle du Dieu tout-puissant et à tout ce qu'il a fait dans ma vie. Et pendant que je contemplais ses magnifiques merveilles, j'ai bien vite reconnu ma petitesse et j'ai commencé à exalter avec David dans le psaume 8:4-5:

"Quand je contemple les cieux, ouvrage de tes mains,
La lune et les étoiles que tu as créées:
Qu'est-ce que l'homme, pour que tu te souviennes de lui?
Et le fils de l'homme, pour que tu prennes garde à lui?"

Et, comme rempli du Saint-Esprit, je célébrais, j'exaltais, je magnifiais l'Éternel avec des larmes d'émerveillement. Au moment de cette exaltation, j'ai entendu une voix venant du néant, me disant: "Va; écris et déclare tout ce que tu as vu et entendu et affermis mon peuple". J'étais tombé sur mes genoux et je disais à mon Dieu: Oui Seigneur, je reconnais que c'est toi. Notre vie est un livre ouvert devant toi, et tu nous connais mieux que nous-mêmes. Tu as placé, de ta science indescriptible, chaque cellule qui compose notre être. Combien de nos pensées, nous sont-elles échappées; se sont-elles plongées dans les annales de l'oubli! Mais toi, tu peux les énumérer une par une, sans omettre un iota! Tu peux nous dire ce qui arrivera une seconde ou un million d'années plus tard, sans économiser un moment de repentance. C'est pourquoi, je veux t'obéir sans te questionner; et attendre ton miracle sans échec.

En cet instant de parfaite révérence, je me sentais dans l'extase. J'allais m'asseoir, perplexe et confondu pour prier. Tout de suite après la prière, le titre de cet ouvrage m'était inspiré: "**MA VIE AVEC CHRIST**". Lorsque j'allais terminer sa rédaction, quelqu'un m'était apparu en vision, s'asseyant à mon côté droit, passant sa main autour de mon coup, et me disant, comme un ami tendre et fidèle: "Écoute, serviteur de l'Éternel: n'appelle pas ton livre: "MA VIE AVEC CHRIST", mais plutôt: "**CHRIST M'A CHOISI.**"

En me réveillant, j'étais dans un état de plénitude et je dis: Éternel mon Dieu, il est évident que tu as placé ton Esprit en moi pour accomplir ta volonté. Ce même vendredi 27 mai, 2005, je devais me rendre au camp Baptiste, Lebanon, New Jersey. Ma famille et moi, nous partions aux environs de six heures du soir, pour un week-end de retraite familiale organisée par '**L'ALLIANCE DES ÉGLISES BAPTISTES HAITIENNES DES ÉTATS-UNIS**' où j'étais alors président.

Cette alliance a réuni plus de quarante églises, éparpillées dans, environ, douze états des régions des États-Unis, dans le but de les unir, les affermir et de former une solidarité fraternelle dans la communauté des chrétiens haïtiens.

Cette partie de New Jersey qu'on appelle Lebanon est un endroit retiré. Là, il y a peu de circulation et de pollution; là, on respire un air plus frais et plus pur qu'ailleurs. C'est un terrain étendu et embelli de gazon vert, des arbres dont le feuillage ne semblait point se flétrir. Là, quiconque cherche Dieu aura la bénédiction de contempler la richesse de sa gloire. Il aura la joie de rencontrer ce Dieu que Moïse appelle: "Dieu magnifique en sainteté"; qu'Anne appelle: "Ma force"; que Zacharie appelle: "Dieu fidèle"; que Moralès appelle; "Sagesse infinie".

Puisque je venais d'être en contact direct avec le Dieu parfait, mon esprit ne pouvait s'éloigner de sa présence. À l'intérieur de mon dortoir, je méditais sur la richesse de sa bonté. À l'extérieur, mon âme était capturée par le gazon vert, le murmure tendre et doux des feuilles des arbres que la brise du matin cajolait avec prudence; par de petits vols répétés des oiseaux en réjouissance. En ce moment contemplatif, cette armée terrestre et aérienne mêlait sa voix à la mienne pour chanter éternellement:**"Gloire, gloire à l'Éternel"**.

Après cette expérience spirituelle, comme un être étranger venant d'un pays lointain, du pays de la gloire éternelle, je m'approchais du cafétéria pour le déjeuner. C'était le dimanche, 29 mai, 2005, à peu près huit heures du matin. En y arrivant, un frère me saluait avec un chaud sourire, et m'a dit:" Asseyez-vous, monsieur, le président. C'est pour vous que j'ai réservé ce siège". Je l'ai apprécié par un grand merci et j'ai ajouté: que Dieu te bénisse, mon frère !

Pour moi, c'était pour la première fois que j'ai rencontré ce frère. Je lui ai posé cette question: m'as-tu déjà rencontré, mon frère? "Très certainement, pasteur", m'a-t-il, chaleureusement, répondu! Il continua: "Vous avez prêché pour nous dans notre église, et nous avons été richement bénis".

"Pasteur Moralès", a-t-il ajouté avec un air de satisfaction: "Je voudrais vous dire quelque chose". Bien sûr! Asseyons-nous donc, lui ai-je dit, amicalement. Nous nous sommes assis et il m'a dit: "Je voudrais demander à quelqu'un d'écrire un livre sur votre vie et celle de Sœur Moralès, votre bien-aimée épouse et de m'apporter le résultat. Car je n'ai pas pris longtemps pour vous observer tous les deux, et déterminer que votre vie est un exemple de l'amour chrétien, d'humilité et de talent. Beaucoup en ont rendu témoignage .

J'étais à la pente d'exclamer, bien fort, comme un fou: ô Dieu de sagesse infinie! Mais, je me retenais et m'empressais de dire: merci bien, mon frère! Toute la gloire est à Dieu! C'est ainsi que Dieu veut que nous vivions pour lui sur la terre.

Providentiellement, ce quelqu'un qu'il cherchait pour écrire ce livre était bien moi, votre serviteur, qui étais choisi pour la même raison, par le Dieu infiniment sage, saint et juste, deux jours avant ce frère, soit le vendredi, 27 mai, 2005.

Sans dire un autre mot à ce frère bien-aimé, sauf: donne-moi une minute, je t'en prie, et je reviendrai tout de suite à toi. Je me hâtais à l'extérieur pour exclamer: béni sois-tu, Éternel, mon Dieu! C'est certainement toi, qui as envoyé ce frère pour confirmer ta révélation, celle de témoigner, par écrit, tout ce que j'ai vu et entendu et d'affirmer ton peuple. Et, lorsque j'étais retourné, pour demander à ce frère son nom et l'église dont il était appartenu, il était disparu.

Je l'ai cherché le reste de la journée pour recueillir des informations exactes de lui et de son église, de façon à les inclure dans cet ouvrage, comme preuve de la vocation à laquelle, le Dieu trois fois Saint, m'a appelé. Je ne l'ai jamais trouvé, même après des enquêtes et des investigations menées dans nos églises. J'ai tout simplement conclu que Dieu se servait de lui pour confirmer l'appel qu'il a fait de moi, ou à coup sûr, j'étais visité par l'ange de l'Éternel.

J'étais à la recherche de certaine preuve, de support et de témoin, mais l'Éternel n'en a besoin d'aucun. Ce qu'il a fait, il l'a fait et tout le monde saura que c'est lui qui l'a fait. Qu'il s'agisse d'un homme ou d'un ange, sa mission était d'exécuter l'ordre divin et c'était tout.

Cette révélation et confirmation divines, je suis certain, ne vont pas être une surprise ou mises en doute par ceux-là qui s'attachent à l'étude de la bible, la parole irréfutable de Dieu, puisque l'Éternel s'était révélé de la même manière:

A) Dans l'Ancien Testament à:

a) Abraham

b) Isaac

c) Jacob

d) Moïse

B) Dans le Nouveau Testament, après l'antagonisme entre Jésus-Christ et Satan à:

a) Philippe et le ministre éthiopien

b) Saul de Tarse et Ananias

c) Pierre et Corneille

Pour n'en citer que quelques-uns des plus connus.

CHAPITRE 2
L'ÉTERNEL *Se* RÉVÉLA À ABRAHAM

Commençons, donc, cette épopée avec Abraham. Ce dernier, c'est l'histoire et cette histoire doit débuter son récit avec les pays de son origine, qui présentent une véritable confusion pour beaucoup. Que le Saint-Esprit m'éclaire, pour clarifier cette confusion, avant d'esquisser cette merveilleuse histoire de la vie d'Abraham et son étroite relation avec le vrai Dieu.

Les noms des pays qui s'attachent à son enfance jusqu'à l'âge adulte, soixante quinze ans, pour être exact, sont les suivants: Schinear, Babel ou Tour de Babel, Babylonie, Babylone, Ur and Mésopotamie.

Identifions-les, un par un:
1. Schinear ou Sinéar ou Shinhar était une plaine, une contrée ou une étendue de pays à l'intérieur de laquelle se trouvaient: Babel, Babylone, Babylonie, Chaldée et Ur.

Babel. Babel ou Tour de Babel était une ville de cette plaine. Tout le monde connait l'histoire de cette tour où les descendants de Noé avaient décidé d'entrer en compétition avec leur Créateur, en bâtissant une tour qui toucherait le ciel, dans le but d'établir un royaume permanent. Ce qui était contraire à l'ordre du divin créateur: "soyez féconds, multipliez, remplissez la terre" (Genèse 1:28).

Ce plan qui résultait de la désobéissance de l'homme à l'ordre du Créateur, était réduit à néant, lorsque le Tout-Puissant a confondu leur langage. C'est ainsi qu'ils s'étaient éparpillés sur la face de toute la terre et le plan du Dieu omnipotent s'était accompli.

Babylonie. Babylonie était un pays de l'Asie occidentale. Elle fut, tour à tour, appelée: Schinear, pays des Chaldéens et était devenu un empire, l'empire babylonien.

Babylone. Babylone était la capitale de l'empire babylonien. C'était aussi là, que les descendants de Noé ont entrepris la construction de la tour de Babel où Nimrod, le petit-fils de Cush, fut le grand monarque ou l'empereur puissant.

Chaldée. Chaldée était primitivement localisée au sud de Babylonie. Mais, elle était, plus tard, devenue si puissante qu'elle usurpait le nom de Babylonie.

Ur. Ur, pays de la naissance d'Abraham, fut une cité grande et prospère de Chaldée et fut aussi, plus tard appelée: Babylonie.

Mésopotamie. Mésopotamie était un pays situé entre le fleuve du tigre et celui de l'Euphrate. Elle était située à la limite de la Babylonie. Plus tard, elle s'étendait à l'intérieur de la Babylonie de sorte qu'Étienne a situé l'Ur de Chaldée en Mésopotamie (**Actes 7:2**).

Qu'on se rappelle qu'Ur, en Chaldée, était le pays de la naissance d'Abraham. Chaldée était une ville de Babylonie qui était, elle- même, le berceau de l'idolâtrie. Les faux dieux y fourmillaient. Le pays entier se livrait, à l'adoration de ces faux dieux, de ces dieux imaginaires.

À part ces faux dieux, représentés par le panthéon de l'empire babylonien, panthéon qui comprenait des dieux du monde, des divinités astrales, des dieux de la nature, des dieux nationaux. Cet empire embrassait, aussi, ces religions primitives, telles que: le fétichisme, culte des fétiches qui étaient des objets et des animaux auxquels étaient attribuées des propriétés magiques ou bénéfiques;

l'Animisme, forme de religion qui attribue une âme aux animaux, aux phénomènes et aux objets naturels; le Totémisme qui était une religion ou organisation sociale fondée sur le totem, représentée par un animal, une plante, ou un objet considérés comme protecteurs d'un individu ou comme ancêtres mythiques, représentant un groupe social par rapport à d'autres groupes d'une même société. Le totem est aussi la représentation sculptée ou peinte de cet animal, de cette plante ou de cet objet.

Né et élevé dans un pays embourbé dans ces pratiques pernicieuses, Abraham refusait d'y participer, et contraire à ses concitoyens, il a choisi une religion différente et unique: l'adoration du seul vrai Dieu.

À vrai dire, avant l'appel d'Abraham, la bible n'a donné aucune explication de son choix de religion. Je n'en avais aucune information; vous n'en aviez, bien sûr, aucune, non plus. Mais, le Dieu tout-puissant a déjà détecté tous les mouvements du coeur d'Abraham qui a rejeté tous les autres dieux, pour choisir le seul vrai Dieu. Toutes ces déductions sont mises à jour, après la vocation d'Abraham.

L'Éternel dit à Abraham:
"Va-t-en de ton pays, de ta patrie,
de la maison de ton père,
dans le pays que je te montrerai.
Je ferai de toi une grande nation,
et je te bénirai; je rendrai ton nom grand,
et tu seras une source de bénédiction.

Je bénirai ceux qui te béniront,
et je maudirai ceux qui te maudiront;
et toutes les familles de la terre seront bénies en toi"
(**Genèse 12:1-3**).

D'après ma déduction, et je crois être inspiré du St-Esprit, une double motivation a poussé l'Éternel d'ordonner à Abraham de quitter sa patrie:

1. Il serait presqu'impossible à Abraham d'adorer un Dieu étranger dans un pays où tout le monde embrassait les mêmes pratiques pernicieuses: l'adoration des dieux imaginaires et tout ce qui est semblable.

2. L'Éternel a voulu tester la foi d'Abraham et son obéissance avant de lui afficher le titre officiel qu'aucun autre humain n'ait jamais détenu sur la terre. Car le Dieu qu'il a choisi, lui a ordonné de laisser derrière lui: sa carrière, ses parents, ses amis, et tout ce qui lui était cher, pour s'engager dans un voyage précaire et à destination incertaine.

3. Mais, comment Abraham a-t-il pu accepter un ordre qui a paru si autoritaire et si vague, sans aucune résistance ou débat? Parce qu'il a cru aveuglement à la fidélité et la toute-puissance du Dieu qu'il a nouvellement choisi.

Qui peut sonder la sagesse de l'Éternel? A-t-on oublié qu'il est le Dieu omniscient? Pourtant, il a ouvert mon esprit pour détecter deux grandes raisons de ses actions concernant la vocation d'Abraham. Avant de mettre à jour ces deux actions divines, révélées, passons d'abord à son appel ou sa vocation.

Lorsque l'Éternel a appelé Abraham, il ne l'a pas dit: va-t-en de ton pays et prends tes parents avec toi ou quelque membres de ta famille? Cependant il a pris, avec lui, son père Térach et son neveu Lot. Je ne mentionne pas Sara, sa femme, parce qu'en se mariant, selon Dieu lui-même, homme et la femme deviennent une seule chair (**Genèse 2 :24**). Et, de plus, Sara partageait la foi de son mari et s'était entièrement soumise à sa volonté.

Etait-ce la volonté de Dieu qu'Abraham ait pris son père Térach et son neveu Lot avec lui? Mon intuition ou inspiration spirituelle m'a forcé à ne dire que non. Et les deux actions suivantes de l'Éternel vont me donner raison. Voyons donc les actions de la grande sagesse de l'Éternel qu'il m'a révélées contre les décisions d'Abraham, celles de prendre avec lui: Térach, son père et Lot, son neveu.

LES DEUX GRANDES ACTIONS DE L'ÉTERNEL CONTRE LES DÉCISIONS D'ABRAHAM

Pourquoi Abraham s'arrêta-t-il à Charan avec les siens où ils séjournèrent pour un bon nombre de temps? Parce que l'Éternel n'a pas voulu que Térach et Lot s'etaient rendus avec lui à Canaan.

La raison principale s'était révélée à Josué par l'Éternel lui-même. Josué dit au peuple d'Israël: ainsi parle l'Éternel, le Dieu d'Israël: vos pères, c'est-à-dire, les ancêtres d'Abraham: Térach, son père et ses descendants, habitaient anciennement de l'autre côte du Jourdain, c'est-à-dire, à Ur, en Chaldée, et ils servaient d'autres dieux (**Lisez Josué 24:2**).

L'Éternel a donc empêché Térach d'aller avec lui à Canaan parce qu'il ne l'a pas connu comme son Dieu, mais le dieu de ses pères, les faux dieux, les dieux imaginaires.

Ainsi donc, pour éviter une confusion de religion dans la maison d'Abraham où, pour ne pas interférer dans ses décisions de le servir librement, l'Éternel a éliminé Térach à Charan. En un mot, Térach était mort à Charan.

La deuxième action de l'Éternel est manifestée dans la séparation de Lot d'avec Abraham (**Lisez Genèse 13:2-12**). Ce texte explique clairement qu'Abraham se laissait diriger par l'Esprit de Dieu, et Lot, l'esprit de la chair. Lot aimait l'Éternel, mais son coeur était plus attaché aux choses de ce siècle. Il y avait querelle entre les bergers d'Abraham et ceux de Lot, à cause de l'immensité de leurs troupeaux.

Abraham dit à Lot: "Qu'il n'y ait point, je te prie, de dispute entre moi et toi, ni entre mes bergers et tes bergers; car nous sommes frères. Tout le pays, n'est-il pas devant toi? Sépare-toi donc de moi: si tu vas à gauche, j'irai à droite; si tu vas à droite, j'irai à gauche". Lot leva les yeux, et vit toute la plaine du Jourdain, qui était entièrement arrosée. Avant que l'Éternel eût détruit Sodome et Gomorrhe, c'était, jusqu'à Tsoar, comme un jardin de l'Éternel, comme le pays d'Égypte. Lot choisit pour lui toute la plaine du Jourdain, et il s'avança vers l'orient. C'est ainsi qu'ils se séparèrent l'un de l'autre. Abraham habita dans le pays de Canaan; et Lot habita dans les villes de la plaine, et dressa ses tentes jusqu'à Sodome "(Genèse13:8-12).

Avant de séparer ces deux hommes, Abraham et Lot, pour ne jamais plus se réunir en famille, l'Éternel a exposé les différences incompatibles entre les deux. Abraham fut:

    a)   Un champion de la paix: "Qu'il n'y a point de dispute entre moi et toi; entre mes bergers et tes bergers. Car nous sommes frères".

    b)   Un altruiste, au sens au plus profond du terme : puisqu'il était comme un père pour Lot, il pourrait prendre la responsabilité de tous ses troupeaux. Au contraire, il l'a aidé à être très riche. Son altruisme s'était encore étendu, à la vue de tous, lorsqu'il dit à Lot:

"Le pays, n'est-il pas devant toi? Si tu vas à droite, j'irai à gauche; si tu vas à gauche, j'irai à droite". Par ce fait, Abraham a cédé son droit d'oncle ou de père à Lot, en lui offrant l'opportunité de choisir en premier. Il est indubitable qu'Abraham ne pouvait être autrement, qu'un homme dompté par l'Esprit de Dieu ou un homme selon le coeur de Dieu.

Tandis que Lot fut:
    a)   Poussé par l'envie et la convoitise. Ainsi, son coeur était plus attaché aux choses terrestres, plutôt qu'à Dieu.

    b)   Abraham lui a donné de choisir en premier- Il a profité de cette occasion inespérée, pour choisir la partie la plus fertile du pays. La bible nous dit: "Lot leva les yeux et vit toute la partie du Jourdain, qui était entièrement arrosée" (Genèse 13 :10a). Je suppose qu'il a dit certainement en son coeur: c'est bien là, où coulent le lait et le miel.

Dans son coeur envieux, il a traversé la limite du paradis pour s'avancer vers Sodome et Gomorrhe qui étaient, à l'époque, l'enfer terrestre, attendant la manifestation de la colère de Dieu. Car leurs habitants étaient de grands pécheurs contre l'Éternel. C'est ainsi que l'Éternel a accompli sa seconde action en éloignant Lot d'Abraham par un 'au revoir' interminable. C'était alors et alors seulement que l'Éternel était prêt à accomplir ses promesses dans la vie d'Abraham; spécialement, la promesse de lui donner la terre promise qui était 'Canaan'.

RAISONS DE LA VOCATION D'ABRAHAM :

L'Éternel a, maintenant, révélé les raisons du choix d'Abraham comme son ami et son titre du père de la foi, ou père de tous les croyants.

1. Contrairement à ses concitoyens, Abraham a choisi une religion différente et unique: l'adoration du seul vrai, le Dieu tout puissant (**Lisez Genèse 17;1**); le Dieu éternel; le Dieu très haut ; Maître du ciel et de la terre; le juste Juge qui exerce la justice sur toute la terre. (**Genèse 18:25**).

2. Abraham crut en l'Éternel. C'est pourquoi Dieu a raffermi sa foi pour ne jamais l'abandonner, en se révélant à lui plusieurs fois. (**Genèse 12:1-3, 7; 13:14-18; 15; 17:1-21, etc.,**)

3. À part d'autres exercices de la foi, Dieu en a suscité un qui était l'épreuve suprême, par laquelle Abraham devait donner toute la mesure de sa foi: l'appel au sacrifice d'Isaac, son fils unique et choyé. (Lisez Genèse 22) L'auteur de l'épitre aux Hébreux n'a pas manqué d'apprécier aussi, cette action sublime d'Abraham. (**Hébreux 11:17-18**)

CHAPITRE 3
L'Éternel Se Révéla à Isaac et à Jacob

Isaac fut le fils légitime d'Abraham et fut appelé fils de la promesse, parce que l'Éternel l'a promis à Abraham et le lui a donné, selon sa promesse. Abraham et Jacob ont mené une vie plus active qu'Isaac en action et en contact avec Dieu. Mais, l'Éternel a prouvé que cela n'a aucune différence. Car il a formé une chaine en trois mailles sur lesquelles étaient inscrits: Dieu d'Abraham, d'Isaac et de Jacob.

Les simples signes de distinction entre eux, s'expliquent du fait qu'Isaac était un peu plus doux et plus paisible; qu'il devenait très pensif et solitaire à la mort de sa mère qui l'aimait inconditionnellement et qu'il aimait et chérissait tendrement. Ce vide fut comblé à son mariage avec Rebecca. (**Genèse 24:63-67**)

À part la famine qui frappait Canaan au temps d'Abraham, une seconde famine le frappa encore au temps d'Isaac. Et ce dernier chercha refuge auprès d'Abimélec, roi des Philistins, avec l'intention de se rendre en Égypte où il y avait, bien certainement, une plus grande abondance de provisions.

Mais, l'Éternel se révéla à Isaac pour tester sa foi en lui ordonnant de ne pas aller en Égypte et de rester à Guérar, le pays des Philistins. Isaac obéit sans réplique à son Dieu (**Genèse 26:1-6**).

L'Éternel est prêt à ouvrir les écluses des cieux pour tous ceux-là qui entendent sa voix et lui obéissent. Étant donné qu'Isaac a obéi aveuglement à l'ordre de son Dieu, il l'a comblé de si grandes bénédictions à Guérar que ses habitants éprouvèrent de la jalousie contre lui. **(Genèse 26:12)**

L'Éternel se révéla à Isaac avec des termes encore plus satisfaisants. Car cette fois, il lui a transmis les promesses qu'il a faites à Abraham, son père. **(Genèse 26:31)**

L'ÉTERNEL SE RÉVÉLA JACOB

Jacob fut le fils d'Isaac et de Rebecca, aussi, le frère jumeau d'Ésaü. Il était venu au monde immédiatement après Esaü. Pour cela, il fut considéré comme le cadet et Ésaü, l'ainé **(Genèse 25:21-26)**. Isaac avait soixante ans à la naissance de ses fils. L'étymologie du nom de Jacob veut qu'il signifie: le coquin; le rusé. Ce nom signifie aussi: Dieu garde et protège. Comme son père, Jacob était de nature calme et pacifique. **(Genèse 25:27)**.

La famille était partiellement divisée, en ce qu'Isaac préférait Ésaü et Rebecca choyait Jacob. Il n'est pas censé ignorer qu'il existait, à l'époque, le droit d'aînesse en Israël, un droit particulier ou privilège, considéré comme propriété exclusive du premier-né d'une famille. Le fils ainé ou premier-né héritait du père le rang et les prérogatives. À sa mort, il devenait chef de la famille. Il héritait aussi une double portion de ses biens. C'est aussi l'ainé qui recevait, en premier, les dernières et les plus précieuses des bénédictions que le père conférait à ses enfants au terme de sa vie.

Suivons donc, attentivement, le déroulement des événements: Rebecca, mère des jumeaux, je veux dire, Esaü et Jacob, sentant qu'Isaac touchait à ses derniers jours et était prêt à offrir ses dernières bénédictions à ses fils dont les meilleures étaient réservées à Esaü, se hâtait à utiliser une ingéniosité reprouvée, pire que celle des païens, pour forcer Jacob à usurper ou voler les bénédictions d'Ésaü. Elle a utilisé une ruse déloyale et grossière, révélée dans Genèse 27:6. Jacob en a éprouvé de la crainte et refusait de se collaborer avec sa mère. **(Genèse 27:11-12)**. En dépit de ses décisions, paraissant irréfutables, il continuait à écouter les instances de sa mère qui finissent par le convaincre. **(Genèse 27:13:17)**

Certainement Jacob a reçu les bénédictions recherchées, mais pas selon le plan de Dieu. De ce drame, de ce revirement de fortune, on peut tirer les leçons suivantes:

a) Peu importe nos dispositions d'obéir, d'être fidèles à Dieu, si nous écoutons la voix du tentateur ou de ses émissaires, ils pourront facilement nous détourner de sa volonté.

b) Les raisonnements de Jacob avaient presque le même poids que ceux d'Adam et Ève, mais les trois étaient succombés sous l'ingéniosité de Satan.

c) Si nous mettons en parallèle ces deux textes: **Genèse 3:1-6** et **Genèse 27:1-40**, nous pourrons, tout de suite, remarquer leur similarité dans le fait que Satan a utilisé le serpent pour séduire Ève, et Rebecca pour séduire son fils Jacob.

"Soumettez-vous donc à Dieu; résistez au diable, et il fuira loin de vous". **(Jacques 4:7)**

On peut résister au diable dans la prière et en lui répondant: ce n'est pas seulement que Dieu a dit, mais ce qu'il a dit est absolument vrai ou vérité absolue. Plus de discussion là-dessus! Sous quelque forme que Satan se présenterait, déclarez que vous le reconnaissez et ordonnez: retire-toi, Satan! Ne lui offrez aucune occasion de conversation.

Établir une conversation avec lui, est son appât, le grand piège qu'il dresse devant nous pour nous enfermer dans son filet. Sa puissance ne peut être domptée que par la providence divine, la consécration à la prière et la crainte de Dieu.

Les enfants de Dieu n'ont pas besoin d'utiliser d'astuce, de subtilité ou d'obéir à la voix de Satan, pour réaliser leurs rêves. Car comme il l'a fait pour Jacob, l'Éternel a déjà signé le plan de leur vie; l'Éternel a déjà mis en place, pour eux, des chemins tout tracés.

Continuons donc avec Jacob. Avant sa naissance, l'Éternel a annoncé qu'il allait lui transmettre le droit d'aînesse puisque dans son omniscience, il a déjà indiqué que Jacob allait le choisir pour son Dieu et Ésaü, les dieux étrangers; que Jacob allait accorder toute importance aux choses spirituelles, alors qu'Esaü y paiera aucune respect.

Avant la naissance des jumeaux, l'Éternel a dit à Rebecca, leur mère: *"Deux nations sont dans ton ventre, et deux peuples se sépareront au sortir de tes entrailles; un de ces peuples sera plus fort que l'autre, et le plus grand sera assujetti au plus petit".* (Genèse 25 :23)

Le prophète Malachie et surtout l'apôtre Paul, l'ont rendu encore plus claire avec les informations et les révélations suivantes:

a) **Malachie 1:2-3a**
   "Je vous ai aimés, dit l'Éternel. Et vous dites: En quoi nous as-tu aimés? Esaü n'est-il pas frère de Jacob? dit l'Eternel. Cependant j'ai aimé Jacob, et j'ai eu de la haine pour Esaü."

b) **Romains 9:11-13**
   "Quoique les enfants ne fussent pas encore nés et ils n'eussent fait ni bien ni mal, afin que le dessein d'élection de Dieu subsistât, sans dépendre des œuvres, et par la seule volonté de celui qui appelle."

Il fit dire à Rébecca: "L'aîné sera assujetti au plus jeune; selon qu'il est écrit:
*"J'ai aimé Jacob
Et j'ai haï Ésaü."*

Plus d'un diraient que ces paroles sont dures et rigides; elles ne semblent pas être de Dieu. Elles viennent exactement de Dieu. Elles signifient: Jacob me choisira et Ésaü me rejettera, et c'est tout! Car, l'Éternel a dit de ses propres lèvres, ce peut-être dans **Esaie 46:9-10:**

"Souvenez-vous de ce qui s'est passé dès les temps anciens; Car je suis Dieu, et il n'y en a point d'autre, Je suis Dieu, et nul n'est semblable à moi. J'annonce dès le commencement ce qui doit arriver, Et longtemps d'avance ce qui n'est pas encore accompli; Je dis: Mes arrêts subsisteront, Et j'exécuterai toute ma volonté."

Esaü a prouvé l'omniscience de Dieu, lorsqu'il a vendu son droit d'aînesse à Jacob. Ce scenario est rapporté dans **Genèse 25:29-34:** comme Jacob faisait cuire un potage, Ésaü revint des champs, accablé de fatigue. Et Ésaü dit à Jacob: "Laisse-moi, je te prie, manger de ce roux, de ce roux-là, car je suis fatigué". C'est pour cela qu'on a donné à Ésaü le nom d'Édom.

Jacob dit: "Vends-moi aujourd'hui ton droit d'aînesse".

Ésaü répondit: "Voici, je m'en vais mourir; à quoi me sert ce droit d'aînesse?"

Et Jacob dit: "Jure-le-moi d'abord". Il le lui jura, et il vendit son droit d'aînesse à Jacob.

Alors Jacob donna à Ésaü du pain et du potage de lentilles. Il mangea et but, puis se leva et s'en alla. C'est ainsi qu'Ésaü méprisa le droit d'aînesse.

Le droit d'aînesse, à l'époque, en Israël, était quelque chose de sacré, de précieux et une bénédiction directe de l'Éternel. Mais, Esaü l'a foulé aux pieds. Comme l'Éternel-Dieu l'a prédit, et un point c'est tout.

Les descendants d'Ésaü et de Jacob ont formé deux nations; deux peuples différents. Car les descendants d'Ésaü ont rejeté l'Éternel, pour établir une nation païenne, appelée: 'Les Édomites', ayant leurs propres dieux. les descendants de Jacob ou le peuple d'Israël, au contraire, adoptèrent le Dieu de leurs pères, le Dieu d'Abraham, d'Isaac et de Jacob; le Dieu suprême; le seul vrai Dieu.

Les Édomites et les Israélites devenaient deux ennemis acharnés, lorsque le roi d'Édom, à la sortie du peuple d'Israël du pays d'Égypte, refusa de les laisser traverser son territoire, pour aller à Canaan, et les a avertis, avec menaces: s'ils insistaient, ils les attaqueraient avec rage et sans merci.

En revanche, puisqu'Esaü a décidé de tuer Jacob, Rebecca, leur mère, s'arrangea pour l'envoyer à Charan, son pays natal, et elle employa, encore, la même ingéniosité charnelle, pour porter Isaac de s'accorder avec elle. Pourtant, l'Éternel n'a pas abandonné Jacob. Car, chemin faisant, il lui a fait sa première et éclatante révélation, pour l'encourager et le fortifier. (**Lisez Genèse 28:10-22**)

À peine arrivé à Charan, Jacob a miraculeusement rencontré Rachelle, sa future épouse. Mais, il a payé chèrement pour son accord malicieux avec sa mère qui l'a porté à usurper les bénédictions d'Esaü, avant d'attendre l'accomplissement du plan de Dieu dans sa vie.

Ce qu'il a fait à Esaü, Laban, son futur beau-père, lui a rendu la pareille. Il l'a fait travailler sept ans avant de lui donner la main de Rachel, ce qui était légal en son temps. Ainsi, après ces années de durs labeurs, il espérait, avec effusion de coeur, de s'unir avec son épouse légitime, mais Laban, le père de Rachel, l'a trompé en lui donnant la main de Léa, sa soeur ainée.

Maintenant, il a, une fois de plus, exigé à Jacob de travailler une autre période de sept ans, avant de lui donner la main de celle que son coeur aime. Et, comme punition de sa malice, Rebecca, la mère de Jacob l'a perdu de vue, son fils qu'elle a profondément choyé, et cela, jusqu'à sa mort.

Quelle peine insuportable! Quel chagrin! Quelle souffrance intenable! Qui sait si ce n'est pas la dépression de l'absence de Jacob qui l'a amenée à la tombe? Tout cela, je suppose, était le résultat d'une décision personnelle, sans la participation du Dieu qui a, dans sa main : le présent, le passé et le futur.

La leçon qu'on peut tirer de ce drame est que, quelque soit la complexité d'une situation, le chrétien doit compter uniquement sur la miséricorde insondable du Dieu tout-puissant. Loin de l'avis du conseil de Dieu; sans son guide infaillible, même quand on avait déposé ses pieds sur la terre paradisiaque, l'enfer aurait fait son apparition.

Au centre de toutes ces confusions et malgré les multiples péchés commis contre Dieu, l'Éternel n'a jamais abandonné Jacob. Et, en dépit de toutes les faiblesses apparentes dans sa vie, son coeur n'appartient qu'à son Dieu. C'est le Dieu de son père qu'il a choisi, comme seul vrai Dieu. C'est pourquoi, étant même à Laban, après avoir payé pour ses péchés, et s'est sincèrement repenti, l'Éternel l'a comblé de grandes bénédictions. Cela a suscité même la jalousie de ses beaux-frères. Le voyant en danger, l'Éternel se révéla encore à Jacob et lui dit: "Retourne au pays de tes pères, et dans ton lieu de naissance, et je serai avec toi". **(Genèse 31:1-3)**

L'Éternel se révéla encore à Jacob. (Genèse 32:24-30) Dans cette révélation, l'Éternel a simulé que Jacob a lutté avec lui et a remporté la victoire. En effet, aucun guerrier, aucune puissance sur la terre et dans les cieux, n'ont pu et ne pourront jamais combattre avec l'Éternel et remporter la victoire sur lui. Car, il est tout-puissant.

Mais, pour récompenser Jacob de sa foi sublime en sa toute-puissance, et lui faire comprendre qu'il avait assez de force pour confronter Esaü, assoiffé de vengeance pour ses bénédictions qu'il s'était indument appropriées par ruse, il lui a permis de remporter la victoire sur lui dans ce combat acharné pour obtenir sa bénédiction divine. Donc, il serait mieux pour Ésaü de se réconcilier d'avance avec son frère Jacob. Heureusement, c'est ce qu'il a fait. L'Éternel a changé la fournaise de haine qui bouillonnait dans le coeur d'Ésaü en un coeur de mouton, un coeur rempli d'amour et de compassion pour son frère.

L'Éternel a déjà puni Jacob pour ses péchés, et a reçu, à coeur ouvert, sa sincère repentance. Ainsi, il n'a pas voulu qu'Ésaü lui ait infligé une autre punition. Car pour l'Éternel, punition n'est pas le produit de la haine, de la vengeance, mais de l'amour pur, de l'amour d'un père pour son fils qu'il veut châtier pour son bien. Proverbes 3:12 l'a rendu encore plus clair: **"L'Éternel châtie l'enfant qu'il aime."**

CHAPITRE 4
L'Éternel *Se* Révéla à Moïse

La nécessité m'est incombée de gravir quelques échelons de la vie de Moïse, avant de présenter les merveilleuses révélations du Dieu tout-puissant à son serviteur. Le mot Moïse se traduit par Mosheh, (Tiré de) ou tout simplement 'Retiré des eaux'. **(Exode 2:20)** Ce mot a aussi une racine Égyptienne, 'MS' qui signifie 'Enfant'; 'Fils'. C'est pourquoi, la fille de Pharaon a nommé 'Fils' celui qu'elle avait tiré des eaux. Mais, moi, je dis : Moïse fut retiré de la mort d'abord, et ensuite des eaux puisque le roi Pharaon allait le tuer avant ce merveilleux événement.

L'histoire nous a instruit qu'après environ trois cents ans, de la mort de Joseph (1700-1400 BC), les soixante dix Hébreux qui s'étaient établis à Gossen, furent multipliés et devenus 600,000 hommes, sans compter les femmes et les enfants, autrement, ce nombre pourrait être multiplié et évalué à plus de trois millions de personnes. Ils s'accrurent et devinrent de plus en plus nombreux et puissants.

C'est admirable de constater combien l'Éternel a multiplié et formé son peuple au centre de sa servitude en Égypte, et comment il lui a envoyé, au milieu du grand danger et de cruelles souffrances, un libérateur puissant, dénommé: 'Moïse.'

À l'époque où Joseph fut arrivé en Égypte, la dynastie des rois qui occupa le trône de Pharaon fut appelé les 'Hyksos.' Pharaon est un titre qu'on a attribué à tous les rois d'Égypte en ce temps-là; qu'ils soient nationaux ou envahisseurs. Ce titre allait de 3150 à 1085 BC, soit une période de plus de deux mille ans. Ainsi, les Hyksos qui étaient des envahisseurs d'Asie entre 1800-1600 avant Jésus-Christ, furent aussi appelés: Les Pharaons, et ils régnèrent pour une période de deux cents ans. Miraculeusement, cette dynastie de Pharaon était de la famille d'Abraham, et ils étaient comme les Hébreux, des bergers. C'étaient sous leur règne que Joseph fut accédé au titre de gouverneur ou vice-roi et que les Hébreux reçurent toute leur protection. C'étaient purement et simplement la providence divine.

À la faveur de cette dynastie de rois, les Hébreux se multiplièrent et devinrent très puissants. Les Égyptiens nationaux se réunirent, se fortifièrent, s'élevèrent et expulsèrent les Hyksos, cette dynastie étrangère, protectrice des Hébreux. Une nouvelle dynastie réclama le trône. Cette dynastie n'a pas connu Joseph et ignora la grande délivrance que l'Éternel accorda à l'Égypte, par son entremise. Qui ne se rappelle pas du songe, très troublant, du roi Pharaon, lorsqu'il a vu, en vision, les sept vaches belles à voir et grasses de chair, et les sept vaches laides à voir et maigres de chair ? Ces dernières dévorèrent les vaches grasses.

Il semblait que la force du songe le réveilla en sursaut. Il s'endormit de nouveau et voyait sept épis gras et gros, et sept épis maigres et brûlés. Ces derniers engloutirent les épis gras et beaux. À son réveil, il était fort troublé et fit venir, en hâte, auprès de lui, tous les magiciens et tous les sages de l'Égypte. Il a pris son temps pour leur expliquer ces songes, attendant que son coeur troublé jouisse un peu de soulagement, après une claire explication. Ils devenaient comme des gens dont les facultés intellectuelles et mystiques sont dégradées par l'âge. Personne ne pouvait rien expliquer. (**Lisez Genèse 41:1-8**)

Maintenant, on lui a parlé d'un jeune Hébreux, esclave du chef des gardes, qui donne explication facile aux songes, quelque difficiles qu'ils soient. Pharaon le fit venir. Il lui expliqua sa situation. Avant de donner explication à ses songes, Joseph lui a fait connaître qu'elle ne viendra pas de lui, mais de l'Éternel, le Dieu omniscient. Après avoir entendu le même scenario qu'il a présenté aux magiciens et aux sages, Joseph lui dit: "Les deux songes sont analogues. Ils signifient la même chose".

Dieu vous avertit ce qu'il va faire. Il va faire venir sept années d'abondance et sept années de sécheresse. Les années de famine seront si intenses que les années d'abondance seront oubliées. Et, puisque le songe fut répété une seconde fois, Dieu ne prendra pas de temps pour l'exécuter". Joseph lui donna ce conseil: "Pour empêcher une désolation nationale, le roi fera rassembler tous les produits de ces bonnes années: des amas de blés, des approvisionnements dans les villes. Ces provisions seront en réserve durant les sept années de famine. Ce qui sauvera le pays d'une destruction certaine". Le roi a obéi et le pays était épargné. **(Genèse 41:14-36)**

Comment cette nouvelle dynastie a-t-elle ignoré une telle délivrance que Dieu a accordée à Égypte à travers Joseph? De toute façon, elle l'a ignorée, et voyait d'un mauvais œil, la croissance vertigineuse et la multiplication de la population des Israélites. Elle craignait que cette croissance effrénée, formât une nation en elle-même et alla se joindre à une ou des alliés du royaume pour sortir d'Égypte. Pour empêcher l'accomplissement de cet événement qui s'avérerait très funeste contre son royaume, le nouveau roi a pris les décisions suivantes:

a) Il se présenta à son peuple et exposa ses inquiétudes: "Voilà les enfants d'Israël qui forment un peuple plus nombreux et plus puissant que nous.

b) Nous avons une solution à ce problème qui menace notre sécurité: allons! Montrons-nous habiles à son égard; empêchons cet accroissement, et que, s'il survient une guerre, il ne se joigne pas à nos ennemis, pour nous combattre et sortir ensuite du pays. Établissons sur lui des chefs de corvées, afin qu'ils bâtissent les villes de Pithom et de Ramsès, pour servir de magasins à Pharaon.

c) Et puisque, plus on l'accablait, plus il se multipliait, les Égyptiens les expulsaient et les réduire à une servitude pire que les bêtes de somme. Ils les épuisèrent par de rudes travaux en argile et en briques et, par tous les ouvrages des champs, accompagnés de cruelles punitions, même pour des infractions les plus négligeables.

d) Pharaon n'en était pas encore satisfait. Ainsi, il fit venir auprès de lui, Schiphra et Pua, les sages-femmes des Hébreux, pour leur ordonner:
"Quand vous accoucherez les femmes des Hébreux, et que vous les verrez sur les sièges, si c'est un garçon, faites-le mourir; si c'est une fille, laissez-la vivre".

Mais, les sages-femmes craignaient Dieu, et ne firent point ce que leur avait dit le roi, et ils laissèrent vivre les enfants. Le roi les appela et dit: "Pourquoi avez-vous agi ainsi, avez-vous laissé vivre les enfants?" Elles répondirent: "C'est que les femmes des Hébreux ne sont pas comme les Égyptiennes; elles sont vigoureuses et elles accouchent avant l'arrivée de la sage-femme.

Dieu a fait du bien aux sages-femmes, le peuple se multiplia et devint très nombreux. Puisque les sages-femmes avaient eu de la crainte de Dieu, Dieu fit prospérer leurs maisons.

e) Alors, Pharaon donna cet ordre à tout son peuple:
"Vous jetterez dans le fleuve tout garçon qui naîtra, et vous laisserez vivre toutes les filles. (Lisez Exode 1:6-22)

C'était alors que la mère de Moïse, étant en Egypte et ne pouvant supporter la pensée de perdre un enfant si beau, si admirable, l'a caché durant trois mois.

Obsédée par le sentiment qu'il allait être découvert sous peu, elle a décidé de ne plus le cacher. Elle l'a placé dans une caisse de jonc et l'a déposé parmi les roseaux, sur le bord du fleuve. (Le Nil) Sa sœur se tint à quelque distance pour le surveiller et voir ce qui lui arriverait. La providence de Dieu a envoyé la fille de Pharaon se baigner du côté du fleuve où se trouvait ou se trouvait l'enfant. Elle aperçut la caisse au milieu des roseaux, et elle envoya sa servante l'enlever et la lui apporter. Elle l'ouvrait et vit l'enfant qui pleurait. Elle en eut pitié, et dit: "C'est un enfant des Hébreux!"

Alors la sœur de l'enfant a dit à la fille de Pharaon: "Veux-tu que j'aille te chercher une nourrice parmi les femmes des Hébreux pour allaiter l'enfant?" "Certainement", lui a-t-elle répondu! Et la jeune fille allait chercher la mère de l'enfant. La fille de Pharaon lui dit: "Emporte cet enfant et allaite-le-moi ; je te donnerai ton salaire". La femme prit l'enfant et l'allaita. Sa mère l'amena, plus tard, à la fille de Pharaon, et il fit pour elle comme un fils. Elle lui donna le nom de Moïse, car, dit-elle, "Je l'ai retiré des eaux".

Mais, pourquoi le Dieu tout-puissant, a-t-il permis une telle servitude, une servitude si cruelle à un peuple qu'il a tant aimé par son grand amour pour Abraham? Personne ne peut questionner un Dieu éternellement puissant. Mystérieusement, il choisit, parfois, un petit nombre pour partager une fraction de ses secrets. Voici ce qu'il m'a révélé, concernant les raisons de la servitude de son peuple:

a) Pour le rappeler que le pays d'Égypte n'est pas celui qu'il a promis à Abraham
b) Pour susciter en eux le désir de retourner à la terre promise
c) Pour détourner le plan des Égyptiens qui tuaient les enfants mâles des Hébreux pour épouser les filles Israélites et quelles deviennent un seul peuple : le peuple Égyptien.

Moïse a été informé, à un certain moment de sa vie, qu'il descendait des Israélites. Étant devenu grand, il se rendait vers ses frères, et fut témoins de leurs pénibles travaux. Il vit un Égyptien qui frappa un Hébreu d'entre ses frères. Il regarda de côte et d'autre, et voyant qu'il n'y avait personne, il tua l'Égyptien et le cacha dans le sable; il sortit le jour suivant; et voici deux Hébreux se querellaient. Il dit à celui qui avait tort: "Pourquoi frappes-tu ton prochain?" Et cet homme lui répondit: "Qui t'a établi chef et juge sur nous? Penses-tu me tuer comme tu as tué l'Égyptien?"

Moïse, ayant découvert que la chose est connue, eut peur que Pharaon, une fois au courant, aura cherché à le tuer. Ainsi, pour sauver sa vie, il se retira à Madian. C'est là que l'Éternel allait se révéler à lui, et l'aura choisi pour être le libérateur puissant de son peuple. Y étant arrivé, il a observé les sept filles de Réuel qui étaient venues abreuver le troupeau de leur père. Des bergers arrivèrent pour abreuver aussi leurs troupeaux. Ils chassèrent ces jeunes filles, avant même d'accomplir leur mission. Moïse les a défendues et fait boire leur troupeau. Au retour à la maison, elles racontèrent à leur père l'heureux événement qui vient de se passer. Ils les donc encouragea d'aller chercher le bienfaiteur pour le remercier et lui offrir de la nourriture. Il décida de séjourner à la maison de Réuel qui devenait son beau-père en lui donnant la main de sa fille ainée, Séphora. (**Lisez Exode 2:11-21**)

Pendant ce temps, le peuple d'Israël gémissait dans la servitude la plus horrible, et poussait de grands cris. Le Dieu de compassion a entendu leurs cris et se souvint de son alliance avec Abraham, Isaac et Jacob. C'est ainsi que Dieu se révéla à Moïse, au milieu d'un buisson en feu, et l'appela: "Moïse, Moïse!" Et il répondit. L'Éternel-Dieu lui dit: "N'approche pas d'ici, ôte tes souliers, car le lieu sur lequel tu te tiens est une terre sainte". Et, il a ajouté: "Je suis le Dieu de tes pères, le Dieu D'Abraham, le Dieu d'Isaac et le Dieu de Jacob".

L'Éternel continua: "J'ai vu la souffrance de mon peuple qui est en Égypte et j'ai entendu les cris que lui font pousser ses oppresseurs, car je connais ses douleurs. Je suis descendu pour le délivrer de la main des Égyptiens, et le faire monter de ce pays, dans un bon et vaste pays ; dans un pays où coulent le lait et le miel, dans les lieux qu'habitent les Cananéens, les Hétiens, les Amoréens, les phéréziens, les Héviens et les Jébusiens. Maintenant, va, je t'enverrai auprès de Pharaon, et tu feras sortir d'Égypte, mon peuple, les enfants d'Israël".

Moïse, frappé de terreur, n'a pas caché ses craintes, et déclarait ouvertement à l'Éternel, le trouble de son coeur: "Qui suis-je, pour aller vers Pharaon et faire sortir d'Égypte, les enfants d'Israël". Dieu dit: "Je serai avec toi; et ceci sera pour toi, le signe que c'est moi qui t'envoie". (**Lisez Exode 2:23-25 et 3:1-12**)

CHAPITRE 5

L'Antagonisme entre Satan, le Grand Dragon, et Jésus, le Fondateur de la Nouvelle Doctrine

Le grand tentateur de l'humilité, Satan le Diable, savait certainement que l'existence de l'église, dans son royaume-terre, allait léser son pouvoir parmi les fils de l'homme. C'est pourquoi, il a attaqué impitoyablement son fondateur ou son divino-humain Architect, Jésus de Nazareth, qui est en même temps, le Grand Architect de l'univers. De ce fait, il cherchait à le tuer dès sa naissance, par la main sanglante du roi Hérode. D'abord, après s'être informé de la déclaration ouverte des mages d'orient : où est le roi des Juifs qui vient de naître?" (Matthieu 2:3)

La bible nous dit qu'Hérode fut troublé et tout Jérusalem avec lui. Et j'en déduis: Hérode fut troublé, à la pensée que l'Enfant-Jésus, né roi, allait usurper son pouvoir; et Jérusalem fut troublé pour la cause de confusion entre les deux rois: 'Roi Jésus et roi Hérode'.

Ensuite, en tant que marionnette de Satan, roi Hérode pouvait inventer toutes sortes d'astuce et de trucs pour éliminer le divin Maître ou l'Enfant-Jésus. Ils savaient très bien que les principaux sacrificateurs et les scribes étaient très versés en connaissance de lois et des prophètes. Ils étaient communément appelés, docteurs de la loi. Par contre, roi Hérode les rassembla et s'informa, auprès d'eux, selon la prophétie, du lieu exact de la naissance du nouveau Roi: ils déclarèrent, en toute vérité: ''À Bethlehem, en Judée.''

C'est ce que le prophète Michée a prophétisé dans le livre qui porte son nom:

"Et toi, Bethlehem, terre de Juda, tu n'es pas, certes, la moindre entre les principales villes de Juda, Car de toi sortira un chef Qui paitra Israël, mon peuple". Michée 5:1

En plus de cela, Hérode fit appeler, en secret, les mages, astrologues d'Orient, pour s'enquérir astucieusement, auprès d'eux, depuis combien de temps l'étoile brillait. Puis, il les envoya à Bethléhem, en disant: "Allez, prenez, des informations exactes sur le petit enfant. Lorsque vous l'aurez trouvé, faites-le moi savoir, afin que moi aussi, j'aille moi-même l'adorer". (**Matthiieu 2:7-8**) Après avoir prêté l'oreille aux demandes déloyales du roi, ils continuèrent leur mission, celle de voir l'Enfant et l'adorer.

En réalité, l'étoile les a conduits à la crèche, le lieu exact où se trouvait l'Enfant-Jésus, et elle s'arrêta. Ils éprouvèrent une grande joie. Ils y entrèrent. Ils virent le petit Enfant et sa mère. Avec un coeur rempli de satisfaction et de reconnaissance, ils lui offrirent, en dons : de l'or, de l'encens et de la myrrhe.

Dans leur innocence, ils allaient retourner à Jérusalem, pour répondre aux demandes du roi. C'était alors qu'ils furent divinement avertis, par un saint ange, de ne pas retourner vers Hérode, qui n'avait nulle intention d'adorer l'Enfant-Roi, mais de le tuer. Les mages obéirent, sans contrainte à l'ange de Dieu, en ignorant la requête malicieuse du roi Hérode et allèrent par un autre chemin.

Après avoir réalisé que les mages ignoraient sa requête et ont découvert son intention déloyale, il rugit de colère, et ordonna de tuer tous les enfants de deux ans et au-dessus, avec l'espoir qu'il tuera, à tout prix, l'Enfant-Jésus. Le résultat fut une détresse nationale, une douleur de l'enfantement, et c'était aussi l'accomplissement de la prophétie annoncée par Ésaïe, dans Ésaïe 40:3. Toute l'histoire peut-être aussi lue dans **Matthieu 2:1-18.**

Le déchirement des entrailles de Rachel était mis à nu dans **Matthieu 2:18**:

"On a entendu des cris à Rama, Des pleurs et de grandes lamentations: Rachel pleure ses enfants, Et n'a pas voulu être consolée, Parce qu'ils ne sont plus."

Jésus n'était pas parmi les enfants massacrés. Donc, Hérode n'a pas pu tuer le Roi-Jésus, et Satan fut échoué dans sa première tentative. Car Jésus était couvert par la puissance de la droite de son Père. Je veux rapporter, à tout un chacun, que Satan se révèle toujours un attaqueur obstiné, méchant, persistant et infatigable, mais pas le grand vainqueur. En effet, il a poursuivi mon Maître jusqu'au calvaire, mais sans lauriers.

En réalité, Jésus était crucifié. Il était mort et il était enterré. Satan a crié victoire, parce qu'il a blessé le talon de Jésus. Mais, quelle sottise et quelle audace! Fut-il un guerrier de grand renom ou Lucifer, Satan savait très bien qu'il n'a pu tuer le 'Dieu avec nous'. Personne n'a de pouvoir sur lui, sinon que son Père, puisqu'il a le pouvoir de donner sa vie et de la reprendre. C'est pourquoi, il a déclaré ces paroles irréfutables, ce peut-être dans **Jean 10:17-18**:

"Le Père m'aime, parce que je donne ma vie, afin de la reprendre. Personne ne me l'ôte, mais je la donne de moi-même; j'ai le pouvoir de la donner, et j'ai le pouvoir de la reprendre: tel est l'ordre que j'ai reçu de mon Père"

En effet, entre les années 790 et 700 de l'ère prophétique, le prophète Ésaïe a annoncé, par l'Esprit, dans **Ésaïe 53:5**:

"Mais il était blessé pour nos péchés, Brisé pour nos iniquités; Le châtiment qui nous donne la paix est tombé sur lui, Et c'est par ses meurtrissures que nous sommes guéris."

Nos péchés et nos iniquités nous ont condamnés devant la justice de Dieu, et lorsque notre sentence de mort a été prononcée, Jésus a décidé de mourir à notre place, afin que nous ayons la vie. Quel amour! Il mérite notre éternelle reconnaissance. En effet, qui avait pu le combattre? Puisque le ciel est son trône et la terre, son marchepied. C'est pourquoi la terre tremblait dans ses fondements, lorsque les bourreaux l'ont placé dans son sein. Depuis la première seconde, la terre commençait à s'ébranler. Mais hélas, elle devait supporter cette chaleur intense, ce feu dévorant qui la consumait, car le divin Maître a déjà prophétisé lui-même qu'il devait y rester pour trois jours. (**Matthieu 24:1-8**)

Ainsi donc, trois jours après, soit un dimanche matin de l'an trente trois de l'ère chrétienne, Marie de Magdala; Marie, mère de Jésus, Marie, mère de Jacques et de Salomé achetèrent des aromates, une sorte de parfum spécial et de grand prix, pour embaumer la tombe de Jésus. Elles étaient profondément reconnaissantes de tout ce qu'il a fait pour l'humanité, mais aussi et surtout des bienfaits sans nombre qu'elles ont, elles-mêmes, reçus de lui.

Avec des cœurs rongés de tristesse, elles se rendirent au sépulcre. En y arrivant, elles trouvèrent deux hommes en habits resplendissants, assis sur sa tombe. Saisies de fraicheur, elles baissèrent la tête, mais les anges de Dieu leur dirent: "Pourquoi cherchez-vous parmi les morts celui qui est vivant.

Ce Jésus que vous cherchez n'est point ici, Il est ressuscité". Et les saints anges leur rappelèrent: "Souvenez-vous de quelle manière il vous a parlé, lorsqu'il était encore en Galilée et qu'il disait": "Il faut que le Fils de l'homme fut livré entre les mains des pécheurs, qu'il soit crucifié et qu'il ressuscitera le troisième jour", et ils s'en souvinrent. (Matthieu 24:1-8)

L'un des bénéficiaires de sa résurrection, certainement l'apôtre Paul, devait dire un jour :
La mort a été engloutie dans la victoire.
Ô mort, où est ta victoire?
Ô mort, où est ton aiguillon?
(**1 Corinthiens 15:54b-55**)

Après ces lauriers et ces prouesses, c'est-à dire victoire sur les attaques acharnées de Satan; victoire sur le péché; victoire sur la mort, Jésus-Christ a enfin fondé son église, à la pentecôte, en la personne du Saint-Esprit.

Maintenant, Satan, dans son désespoir, son audace outrée ou son égarement, a lancé un coup mortel et définitif contre cette église qu'il pensait être, à la fois très jeune, très faible et très vulnérable. Il a juré de la poursuivre jusqu'au retour de Jésus-Christ, par des assauts répétés, et les plus terrifiants. Ce peut-il, dans ses limites, qu'il n'a pas pu être informé des paroles prophétiques du Fils de Dieu, écrites dans le livre de vie:

"Les portes du séjour des morts ne prévaudront point contre elle". (Matthew 16:18b)

Désormais, il a déclenché une persécution sans merci, contre cette église jeune, mais puissante, emmurée par la puissance de la droite du grand Architect de sa construction. Elle est le roseau qui sera plié par les flèches enflammées du tentateur, mais jamais brisé. La persécution était si intense que les disciples voyaient l'épée de Damoclès se planer sur leur tête. Ils se trouvaient, donc, dans l'impossibilité de rester à Jérusalem. Pour cela, nous a informés la bible, que tous les disciples étaient dispersés, pour se refugier dans les contrées de la Judée et de la Samarie; non pas, pour abandonner l'évangile, mais pour le prêcher avec encore plus de conviction, d'autorité et d'hardiesse. Mais, les apôtres bravaient ces atroces persécutions, et restaient à Jérusalem, au prix de leur vie.

Un frère s'est, un jour, approché de moi et m'a posé cette pertinente question: "Pasteur, comment se fait que tous les autres disciples se dispersèrent pour se sauver de cette cruelle persécution, tandis que les apôtres eurent un tel courage de rester parmi ces cruels persécuteurs à Jérusalem en face d'un danger si imminent?

À laquelle j'ai répondu: premièrement, ils recevaient une puissance directe du Saint-Esprit: "Le Saint-Esprit survenant sur vous et vous serez mes témoins à Jérusalem, dans toute la Judee, dans la Samarie et jusqu'aux extrémités de la terre". **Actes 1:8**

Deuxièmement: Ils recevaient un ordre formel du fondateur de la nouvelle doctrine ou simplement, le fondateur de l'église: "Allez vers les brebis perdues de la maison d'Israël".

CHAPTER 6
L'Éternel Se Révéla à Philippe

Durant cette dispersion forcée des disciples, Philippe, le diacre-évangéliste, et l'un des fuyards de la pénible persécution de l'église de Jésus-Christ, se rendit à Samarie et y prêcha le Christ. Rempli du Saint-Esprit, il y faisait beaucoup de miracles. C'est là que le Dieu tout-puissant s'était révélé à lui. Car, pendant qu'il faisait ces miracles dans la contrée de Samarie, un ministre Éthiopien, un croyant convaincu de la nouvelle doctrine, ministre de Candice, reine d'Éthiopie, se dépêcha pour se rendre à Jérusalem, dans l'unique but d'adorer le seul vrai Dieu. À son retour, et chemin faisant, assoiffé de la connaissance du Dieu vivant, il se livrait à la lecture d'Ésaïe 53 ou plus précisément, **Esaie 53:7-8** :

"*Il a été maltraité et opprimé,*
Et il n'a point ouvert la bouche,
Semblable à un agneau qu'on mène à la boucherie,
A une brebis muette devant ceux qui la tondent;
Il n'a point ouvert la bouche.
Il a été enlevé par l'angoisse et le châtiment;
Et parmi ceux de sa génération, qui a cru
Qu'il était retranché de la terre des vivants
Et frappé pour les péchés de mon peuple?"

L'Eunuque ou le Ministre Éthiopien, eut de la peine à comprendre le passage qu'il lisait. Le Dieu omniscient, omniprésent et omnipotent, qui sonde les cœurs et les reins a, bien vite, détecté la soif ardente qui desséchait le coeur du Ministre de lui appartenir, se révéla à Philippe en détachant un délégué céleste, son saint ange, pour lui ordonner: "Rends-toi, tout de suite, du côté du midi, sur le chemin qui descend de Jérusalem à Gaza, l'endroit exact où se trouvait le Ministre Éthiopien, l'aspirant chrétien", lisant avec difficulté de comprendre le passage d'**Ésaïe 53:**

Philippe obéit à l'ordre du divin Maître, et partit , en toute hâte, à la rencontre du ministre et le trouva exactement, à l'endroit où le Seigneur lui a indiqué. En le voyant, il s'approcha de lui, et imposa cette question: "Comprends-tu ce que tu lis"? Et l'eunuque de répondre: "Comment le comprendrais-je, si quelqu'un ne me guide", et il a invité Philippe à monter sur son char. L'eunuque continua: "De qui le prophète parle-t-il ainsi? Est-ce de lui-même ou de quelqu'un d'autre?"

Alors, avec un visage illuminé de joie, et un coeur libéré de tout préjudice, Philippe ouvrit la bouche et commençait aisément, par le passage en question, à lui expliquer qu'il s'agissait de Jésus. Il a accepté d'abandonner son royaume céleste, ses richesses éternelles, héritées de son Père; Qu'il a accepté de descendre sur cette terre de péché pour accepter de laisser tomber sur lui, nos transgressions, nos iniquités, afin que quiconque croit qu'il est le Fils de Dieu et est baptisé, a la vie éternelle.

Comme ils continuaient, ils rencontrèrent de l'eau, et le ministre d'exclamer: "Voici de l'eau, qu'est-ce qui empêché que je sois baptise?" Et Philippe de répondre: "Si tu crois de tout ton coeur, cela est possible". Et l'eunuque continuait: "Je crois que Jésus est le Fils de Dieu". Débordés de joie, Philippe et l'Eunuque descendaient dans l'eau, et Philippe le baptisa.

En un mot, Philippe expliqua au ministre Éthiopien, le passage difficile à comprendre; le ministre crut et devint bien vite, un membre officiel de la famille chrétienne. Ce miracle s'était produit, après la révélation de Dieu à Philippe, en collaboration avec l'obéissance et l'humilité du ministre Éthiopien qui réservait sincèrement une place pour Jésus dans son coeur.

CHAPITRE 7

L'Éternel Se Révéla à Saul de Tarse et à Ananias

aul de tarse, devenu plus tard l'apôtre Paul, fut l'un des persécuteurs les plus impitoyables de l'église de Jésus-Christ. Lui et son méchant groupe, ont pris la décision arrêtée de disparaitre, par la force, cette nouvelle doctrine ou l'évangile de Jésus-Christ, qui était sur le point de jeter confusion parmi le peuple, et même le monde entier, pour la simple raison que cette nouvelle doctrine exigeait à tous d'abandonner les choses de ce siècle de ténèbres, qui conduiraient à la mort, à l'enfer, pour se tourner vers les choses d'en haut, vers Jésus-Christ, qui conduiraient à la vie éternelle. Jésus-Christ, l'auteur de la nouvelle doctrine, a lancé cet ordre formel et impératif dans **Matthieu 28:19-20:**

"Allez, faites de toutes les nations des disciples, les baptisant au nom du Père, et du Fils et du Saint Esprit, et enseignez-leur à observer tout ce que je vous ai prescrit. Et voici, je suis avec vous tous les jours, jusqu'à la fin du monde."

Saul de Tarse fut né à Tarse, ville de la Cilicie, occupée par Rome. Donc, il était citoyen Romain, quant à sa naissance. Il était néanmoins de descendants juifs, élevé par l'un des plus éminents des rabbis juifs de l'époque, Gamaliel, docteur de la loi. En effet, Paul a déclaré, lui-même, dans **Actes 22:3:**

"Je suis Juif, né à Tarse en Cilicie; mais j'ai été élevé dans cette ville-ci, et instruit aux pieds de Gamaliel dans la connaissance exacte

de la loi de nos pères, étant plein de zèle pour Dieu, comme vous l'êtes tous aujourd'hui."

Il a, ensuite, ajouté dans Philippiens 3:5-6:

"Moi, circoncis le huitième jour, de la race d'Israël, de la tribu de Benjamin, Hébreu né d'Hébreux; quant à la loi, pharisien; quant au zèle, persécuteur de l'Eglise; irréprochable, à l'égard de la justice de la loi".

Tout jeune, Saul était admis parmi les grands. Son intelligence supérieure lui a valu le titre de membre du Sanhedrin à l'âge juvénile, le corps gouvernemental juif, le plus respecté de son temps. Tandis qu'Ananias était un simple chrétien, sans renommée aucune, presque totalement méconnu de la grande société. Il n'aurait pas même osé ou eu l'opportunité de rencontrer l'apôtre Paul durant une vie entière, dirais-je de délier les courroies de ses souliers. Pourtant, ô mystère divin! C'est lui que le Seigneur allait choisir pour imposer la main sur la tête de cet homme puissant, grand et redoutable.

Les prêtres, les magistrats et Saul de Tarse lui-même avaient espéré que, grâce à leurs efforts vigilants et leurs cruelles persécutions, ils parviendraient à éliminer à jamais cette nouvelle doctrine ou ce christianisme qui répand la terreur et qu'ils comparaient à l'hérésie, une secte pernicieuse, parce qu'ils étaient des aveugles qui conduisaient des aveugles ou aveuglés par les grosses ténèbres de Satan.

Pour être sûr de la réussite de leur mission spéciale et impérative, ce groupe a choisi le jeune, le furieux, l'inflexible Saul de Tarse, pour être en charge. Par son zèle amer, il a déjà conduit pas mal de chrétiens, hommes et femmes aux tribunaux qui les auraient condamnés à l'emprisonnement, au supplice et à la mort.

Ainsi donc, après s'être informé que les chrétiens de Damas se rangeaient, de plus en plus, autour de la nouvelle doctrine, Saul de Tarse, respirant, encore, la menace et le meurtre contre les disciples du Seigneur, se hâta de se rendre chez le souverain sacrificateur et lui demanda des lettres de recommandation pour les synagogues de

Damas, afin que, s'il trouvait des partisans de la nouvelle doctrine, hommes ou femmes, il les ramena liés à Jérusalem.

Après avoir reçu l'autorisation des principaux sacrificateurs, Saul de Tarse, pensant être muni d'une puissance invincible, se lançait comme un lièvre dans ce voyage téméraire, oubliant totalement, les conseils salutaires de Gamaliel, dans **Actes 5:38:**
"Et maintenant, je vous le dis ne vous occupez plus de ces hommes, et laissez-les aller. Si cette entreprise ou cette oeuvre vient des hommes, elle se détruira; mais si elle vient de Dieu, vous ne pourrez la détruire. Ne courez pas le risque d'avoir combattu contre Dieu".

Gamaliel était inspiré en formulant ces paroles. Car chemin faisant et non loin de Damas, vers le milieu du jour, rapporta, plus tard, l'apôtre Paul lui-même, une lumière éblouissante resplendit autour de lui et de ses compagnons. Il tomba par terre, et il entendit une voix lui disant :" Saul, Saul, pourquoi me persécutes-tu ?" Et, il s'empressa de répondre : "Qui es-tu, Seigneur ?"Le Seigneur lui répondit : "Je suis Jésus que tu persécutes".

En d'autres termes, les chrétiens sont les prunelles de mes yeux. Ne les touchez pas ! Car quiconque cherche à les combattre, me combattra d'abord. Et qui peut regimber à mes aiguillons ? Qui peut résister à ma force toute-puissante ?

Frappé par le lion de la tribu de Juda, Jésus de Nazareth, le général des généraux, et le guerrier des siècles, Saul de Tarse était devenu, sur le champ, un handicap aveugle qui devait être conduit par quelqu'un à Damas. L'Éternel a parlé à Ananias, son humble serviteur, d'aller dans la rue qu'on appelle la droite, et de chercher dans la maison de Judas, un certain nommé Saul de Tarse. Car il a prié et il a vu en vision, un homme du nom d'Ananias qui entrait et imposait les mains sur lui, afin de recouvrir la vue.

Après des contestations légitimes avec le Seigneur, Ananias finit par obéir à son divin Maître, et il partit. Arrivé dans la maison de Saul de Tarse, il imposa sa main, et, en même temps, il recouvrit la vue.

En vérité, l'Éternel, notre Dieu, est le seul vrai Dieu, le Dieu unique qui existe sur la terre et dans les cieux. Lorsqu'il décide de sauver et de délivrer ceux-là qu'il aime, il n'a qu'à ouvrir la bouche, et tout devient calme autour de lui: le vent, la tempête et la fureur de Saul de Tarse.

CHAPITRE 8
L'Éternel Se Révéla à Corneille et à Pierre

Corneille était un centenier, (chef de cent soldats) dans l'armée romaine. Il était très riche et faisait parti d'une haute classe sociale. Païen de naissance, il eut la bénédiction de connaître le seul vrai Dieu, par des informations personnelles. Car avant Jésus-Christ, les juifs n'avaient aucun rapport avec les païens. S'adonnant, certainement, à la recherche désintéressée du seul vrai Dieu, il se livrait à l'étude des lois et des prophètes. Il devenait un prosélyte. Après avoir acquis une connaissance convaincante du seul vrai Dieu, il l'adorait de tout son cœur. Il prouvait que l'amour et la crainte de Dieu pressaient son cœur, par l'intérêt qu'il portait aux pauvres et à la prière. Il était très réputé par sa générosité et sa vie exemplaire parmi les païens. Et sa réputation atteignit jusqu'aux oreilles des Juifs. Car, la parole de Dieu a rendu un témoignage excellent de lui. Dans **Actes 10:1-2**, nous lisons:

"Il y avait à Césarée un homme nommé Corneille, centenier dans la cohorte dite italienne. Cet homme était pieux et craignait Dieu, avec toute sa maison; il faisait beaucoup d'aumônes au peuple, et priait Dieu continuellement."

En tant que païen, Corneille n'attendait aucune bénédiction de la part de Dieu, selon les Juifs. Car, pour eux, le Dieu d'Abraham, d'Isaac et de Jacob, appartient uniquement au peuple juif. En effet, Corneille avait trois qualités spirituelles, auxquelles le Dieu tout-puissant ne pouvait pas ignorer: la crainte de l'Éternel, l'amour de la justice et l'amour du prochain. Avec ces qualités spirituelles, l'Éternel a accepté Corneille comme un ouvrier dans sa moisson, il lui a présenté, en même temps, le plus grand honneur, en envoyant son saint ange lui apporter un message direct qui a fait la joie éternelle de son coeur. En le rencontrant, l'ange lui a donné le message rapporté dans **Actes 10: 4b-6** :

"Tes prières et tes aumônes sont montées devant Dieu, et il s'en est souvenu. Envoie maintenant des hommes à Joppé, et fais venir Simon, surnommé Pierre; il est logé chez un certain Simon, corroyeur, dont la maison est près de la mer."

Convaincu que la présence de Pierre allait abonder sa maison de grâces inépuisables, Corneille, dans son esprit altruiste, a invité ses parents et ses amis intimes, en cette heureuse occasion, pour venir partager avec lui, ces abondantes bénédictions. Et je déduis: Corneille était, non seulement, un homme de foi et de générosité, mais un homme privé de tout esprit d'égoïsme. Il obéit, sans contrainte à l'ange de Dieu. Quand ce dernier était disparu, le centenier appela deux de ces plus fidèles serviteurs, j'en suis certain, et un soldat pieux d'entre ceux qui étaient attachés à sa personne, et après leur avoir tout raconté, il les envoya à Joppé.

Ô puissance! Ô divin mystère! Après avoir pris congé de Corneille, l'ange alla directement vers Pierre à Joppé. Ce dernier priait à ce moment-là sur le toit de sa maison, et les saintes Écritures nous rapportent qu'il avait faim et qu'il voulut manger. Pendant qu'on lui préparait de la nourriture, il tomba en extase. Dans sa vision, l'apôtre vit le ciel ouvert et un objet semblable à une grande nappe attachée par les quatre coins, qui descendait et s'abaissait vers la terre ou se trouvaient tous les quadrupèdes et les oiseaux du ciel. Et cette voix se faisait entendre: "Lève-toi Pierre, tue et mange. Mais, Pierre répliqua: "Non, Seigneur!

Car je n'ai jamais mangé rien de souillé et d'impur. Et pour la seconde fois, la voix se fit entendre à lui: "Ce que Dieu déclare pur, ne le regarde pas comme souillé". Cela arrive jusqu'à la troisième fois, et aussitôt il fut retiré dans le ciel.

Pendant que Pierre méditait sur la signification de la vision, les hommes envoyés par Corneille, arrivèrent à Joppé, cherchèrent sa maison, et se présentèrent à la porte. Ils demandèrent, avec empressement et à haute voix, si c'était là où logeait Simon, surnommé Pierre. Ô sagesse infinie! L'Éternel qui connait tous les mouvements du coeur de l'homme, savait bien que Pierre n'allait pas recevoir les hommes venus de Césarée, qu'ils considéraient être isolés et impurs. C'est pourquoi, il a envoyé, d'avance, son ange lui avertir: "Voici trois hommes te demandent; lève-toi, descends et pars avec eux sans hésiter. Car, c'est moi qui les a envoyés"

Luttant contre la marée montante de ses préjugés, Pierre était obligé d'obéir à l'ordre du divin Maître. Il descendit et alla vers ces hommes envoyés par Corneille et leur dit: "Voici, je suis celui que vous cherchez. Quel est le motif qui vous mène ici?" Ils lui firent donc part de leur mission divine et parlèrent avec fierté des qualités remarquables de leur aimable leader.: "Corneille", dirent-ils à Pierre, "centenier, homme juste et crayant Dieu, et de qui toute la nation juive rend un bon témoignage, a été divinement averti par un saint ange, de te faire venir dans sa maison pour entendre tes paroles"

Frappé de crainte et de révérence envers Dieu, l'apôtre obéit, sans ambages, et promit de partir avec ces hommes. Il les fit entrer et les logea. Le lendemain, il se leva et partit avec eux, en prenant aussi avec lui, quelques frères de Joppé. Sans nul doute, des frères qui aimaient le Seigneur et qui s'attachaient à son ministère. Lorsque Pierre fut arrivé à Césarée, à la maison de Corneille, cet homme riche et puissant, s'humiliait, à telle enseigne qu'il se mettait à genou pour recevoir l'apôtre, signe de respect pour un leader que Dieu a oint, et Pierre n'avait pas accepté ce genre d'accueil, mais l'a apprécié avec grande humilité. Il le relevait, avec ces paroles qui font fremir tout mon être et augmenter mon humilité et mon amour pour mon Dieu et son peuple : "Lève-toi", dit Pierre à Corneille, ''car moi aussi, je suis un homme comme toi'', signe de sincère humilité et de lavage spirituel.

Continuant sa conversation avec Corneille, hier, son ennemi acharné et rejet de la société juive, par son identité païenne; aujourd'hui, ami intime et frère, par la justice de Dieu, la puissance de l'évangile et son identité chrétienne.

Pierre entra chez lui et trouva beaucoup de personnes réunies, assoiffées de l'entendre. Il leur rappela sincèrement: "Vous savez qu'il est défendu à un juif de se lier avec un étranger ou un païen et d'entrer chez lui; mais, Dieu m'a appris à ne pas regarder aucun homme comme souillé et impur". C'est alors que Pierre a demandé à Corneille le motif pour lequel il l'a envoyé chercher. Et Corneille de répondre, avec cette attitude d'humilité qui le suivait:

"Il y a quatre jours, à cette heure-ci, je priais dans ma maison à la neuvième heure; et voici, un homme vêtu d'un habit éclatant se présenta devant moi, et dit: Corneille, ta prière a été exaucée, et Dieu s'est souvenu de tes aumônes. Envoie donc à Joppé, et fais venir Simon, surnommé Pierre; il est logé dans la maison de Simon, corroyeur, près de la mer. Aussitôt j'ai envoyé vers toi, et tu as bien fait de venir. Maintenant donc nous sommes tous devant Dieu, pour entendre tout ce que le Seigneur t'a ordonné de nous dire".

Pierre, émerveillé devant l'omniscience de Dieu, et son amour incommensurable pour les enfants des hommes qu'il a créés à son image et à sa ressemblance et aussi, qui le reconnaissent comme leur seul vrai Dieu, s'était écrié "En vérité, je reconnais que Dieu ne fait point acception de personnes, mais qu'en toute nation celui qui le craint et qui pratique la justice lui est agréable".

Alors, en présence de cet auditoire, avide de l'entendre ou de cette assemblée auguste, Pierre présenta Jésus-Christ, comme sauveur du monde, sa vie exemplaire et parfaite. Car, il a été en buttes à toutes sortes de tentations pour vous et moi, mais jamais péché. Il lui a parlé des miracles qu'il a accomplis; des guérisons qu'il a opérées; de la trahison dont il était victime. Il a aussi parlé avec émotion, qu'il a été arrêté, crucifie et mis à mort. Mais pourquoi, Jésus qui est le Fils de Dieu et Dieu lui-même, a-t-il accepté toutes ces injures des mains des impies? Il a accepté tout cela par son grand amour pour nous, ses bien-aimées créatures. Il a tout accepté, rien que pour payer le prix de nos péchés, nos iniquités, non seulement, pour nous délivrer de la mort, mais aussi et surtout pour nous donner la vie éternelle; qu'il était ressuscité et monté au ciel, pour être notre avocat auprès du Père.

Tandis que Pierre exaltait Jésus comme le seul sauveur et seul espoir du monde, le feu spirituel brûlait dans son coeur. Tout à coup, le discours fut interrompu par l'effusion du Saint-Esprit. Comme Pierre prononçait ces mots, le Saint-Esprit descendit sur tous ceux qui l'écoutaient. Tous les fidèles circoncis qui étaient avec Pierre furent étonnés de ce que le don du Saint-Esprit était aussi répandu sur les païens ou les incirconcis. Car ils les entendirent parler en langues et glorifièrent Dieu. Voilà pourquoi l'apôtre Paul a déclaré, dans 1 **Corinthiens 7:19** :

> *"La circoncision n'est rien, et l'incirconcision n'est rien, mais l'observation des commandements de Dieu est tout."*

Alors Pierre exclama, dans **Actes 10:47**:

> *"Peut-on refuser l'eau du baptême à ceux qui ont reçu le Saint-Esprit aussi bien que nous? Et il ordonna qu'ils furent baptisés au nom du Seigneur Jésus."*

Alléluia! Corneille et sa maison, qui étaient jusque-là considérés comme des païens, des impurs, des barbares, et des incirconcis, étaient devenus désormais, concitoyens des saints, de nouveaux membres de la maison de Dieu.Qui résisterait à cette nouvelle doctrine? Qui contesterait contre ce christianisme puissant?

Assez puissant, pour chasser sept démons de la tête de Marie de Magdala. Marc 16:9

Assez puissant, pour guérir la fille de Jarius, et la femme malade depuis douze ans. Matthieu 9:18-26.

Assez puissant, pour ressusciter Lazare. Jean 11:1-46

Assez puissant, pour ouvrir les yeux de Bartimée, le mendiant aveugle. Marc 10:46-53

Assez puissant, pour guérir un malade depuis trente huit ans, à la maison de miséricorde, la piscine de Bethesda. Jean 5:1-16

Assez puissant, pour convaincre Pierre de rencontrer Corneille, l'incirconcis, le rejet de la nation juive, un ennemi irréconciliable.

Assez puissant, enfin, pour pardonner nos péchés, nos iniquités, et nous guérir de nos infirmités et nous donner la vie éternelle.

Toutes ces preuves de la révélation de Dieu à l'homme déchu qu'il a créé à son image et à sa ressemblance, c'était pour convaincre ceux qui sont faibles dans la foi ; et mes chers lecteurs, ce n'était pas une chose étrange que l'Éternel s'était révélé à moi, Moralès, le dernier de ses bien-aimés, à l'instar de ses serviteurs sélectionnés, pour écrire ce qu'il a fait pour moi et ce qu'il m'a révélé, a l'édification de ceux qu'il a appelés dans son royaume.

CHAPITRE 9
L'Origine et la Croissance de Ma Vie en Christ

Mon père m'a informé qu'en fin d'octobre 1958, un groupe de chrétiens fut débarqué chez nous dont la mission compatissante était de prier pour ma mère, alors gravement malade. Il nous a encouragés de converger notre foi vers Christ. Car dit-il, cela peut conduire à des miracles et de grandes bénédictions. Le premier miracle, nous a-t-il garanti, était la guérison de ma mère. Tu avais cinq ans, me rappela mon père, et c'était en ce temps-là que toute la maisonnée acceptait Christ. Mon père avait deux filles et un garçon et ma mère, trois filles et un garçon. Les enfants de mon père s'appelaient: Adélucia, Edna et moi, Moralès, votre serviteur. Les enfants de ma mère furent: Théana, Antoinette, Edna et Moralès. Cette généalogie présente toute une petite complication, mais je vais la rendre très claire pour vous, mes bien-aimés lecteurs.

Ma sœur ainée Adélucia, n'est pas la fille de ma mère. Elle était encore un tendre enfant à la mort de sa mère. Elle ne l'a pas même connue. Durant les premières années de sa vie, elle était uniquement élevée par mon père. Plus tard, elle était élevée par mon père et ma mère. Tout le monde l'aimait parce qu'elle était d'une conduite exceptionnelle. Elle demeurait avec mes parents jusqu'à son heureux mariage.

Les deux premières filles de ma mère n'appartiennent pas à mon père. À sincèrement parler, je n'en avais aucune information. Car à l'époque, les parents ne parlaient pas aux enfants de leur passé. Mais, je pouvais deviner qu'elle était divorcée, abandonnée ou abusée par l'autre partenaire. Je ne m'intéressais pas d'en enquérir d'autres informations ou des informations exactes. C'est pas le but du livre. En effet, je ne pouvais recevoir des informations supplémentaires, puisque mon père, ma mère, mes deux demi-sœurs du côté de ma mère ont déjà voyagé pour l'éternité.

J'étais le fils unique de mes parents. Mon père était doux et humble de coeur. Il aimait et respectait tout le monde Il était honoré de tous les gens de sa connaissance. Il était conseiller d'un grand nombre. Il s'appelait Fadéus Saintilus, surnommé 'Fadé' par ses parents et les anciens; 'Magot' par ses frères, ses sœurs et ses amis intimes. La plus jeune génération l'appelait 'Ton Magot'. Aucun de ses enfants l'ont appelé Papa. Tous, nous avons suivi nos devanciers en l'appelant aussi 'Magot'. Ce surnom était pour nous, ses enfants, plus intime que papa. Les amis de mon père avaient l'habitude de m'appeler 'Ti Fadé', ce qui signifie "Tel père, tel fils". Ils ont déduit que j'ai hérité de mon père toutes ces qualités: Amour du prochain, l'humilité, un grand caractère, l'esprit de service, de compassion et j'en passe.

Pour donner approbation à ce que les gens disaient de moi et de mon père est vrai, ma mère m'a informé que j'ai commencé à partager tout ce qu'elle m'a donné avec tout le monde dès l'âge de deux ans et cela a continué toute ma vie.

Vers les années soixante, environ 15 % des enfants allaient à l'école. La plupart d'entre eux, ont commencé à fréquenter l'école entre sept et dix-sept ans. Je sens que Dieu a pris possession de moi dès le sein de ma mère. Car il sait que je le choisirai et le servirai le reste de ma vie.

Comme je viens de le dire plus haut, la plupart des enfants des années soixante de mon quartier, sont allés à l'école tardivement. Je pourrais certainement en faire partie. Mais, à l'âge de cinq ans, la providence de Dieu nous a envoyé, à nous les enfants, un mentor en tant qu'instructeur qui a fait un travail excellent dans notre vie, et je ne l'oublierai jamais. Lorsqu'il a découvert mon don, il a encouragé mes parents à m'envoyer dans une école ordinaire le plus tôt que possible. Ils l'ont fait et je suis devenu un brillant élève pour le reste de mes années scolaires.

Ils avaient aussi l'habitude d'exclamer, en s'approchant de moi: "Mon Dieu, toutes tes manières ressemblent à celles de ton père, et j'en étais fier. En effet, j'aimais profondément ma mère, mais j'étais comme cimenté à mon père. J'étais pour mon père comme Isaac était pour Abraham et Joseph pour Jacob. Bien qu'il aima tous ses enfants, sa préférence pour moi était évidente. Il ne pouvait pas vivre sans moi et moi, de même. Il avait une chaise de repos, haute de six pieds. Quand il revenait du travail, il allait prendre une douche. Après cela, il mangeait quelque chose et montait sur sa chaise haute pour un bon repos. Je me rappelle avoir eu quatre ans, et mon père me l'a confirmé, lorsque je grimpais sur les barreaux de sa chaise pour me jeter tendrement et en toute confiance sur sa poitrine où, après cinq minutes, je dormais éperdument. Il m'a, plus tard, informé qu'il avait l'habitude de me prendre avec lui sur sa chaise dès l'âge de trois moi. Je continuais à y grimper et dormir sur sa poitrine jusqu'à l'âge de six ans. C'était alors qu'il a décidé d'acheter une petite chaise pour moi et l'a placée à côté de la sienne où je me sentais aussi si confortable et heureux.

Il avait une affectation spéciale pour ma grande sœur Adélucia. Edna et moi avions l'habitude de lui dire: "Tu aimes Adelucia plus que nous". Il a répondu en père intelligent: "J'ai trois enfants et je vous aime tous". Il a payé plus d'attention à ma plus grande sœur pour les raisons suivantes: premièrement, elle était l'ainée de ses enfants; deuxièmement, sa mère était morte, lorsqu'elle avait seulement un an et enfin, elle grandissait seule avec mon père jusqu'a l'âge de sept ans, lorsqu'il rencontrait ma mère et formait une nouvelle famille. En vérité, nous avons grandi dans une atmosphère agréable où régnait une paix parfaite, troublée seulement, par des circonstances hors de notre volonté.

Nous habitions à la quatrième section du Limbé, au Nord d'Haïti, appelée Modieu. C'était un petit quartier pittoresque et verdoyant, où le cocorico du coq, le hurlement des bœufs, le miaou des chats, le hennissement du cheval, le chant du rossignol, l'épanouissement des fleurs des champs, auraient poussé les chrétiens fervents d'exclamer avec l'évangéliste Luc, dans **Luc 2:14:**

"Gloire à Dieu dans les lieux très hauts,
Et paix sur la terre parmi les hommes qu'il agrée!"

C'était vraiment un quartier magnifique. On dirait que c'était là, le site du jardin d'Éden. Des courants d'eau y abondaient. Là, on comptait des arbres et des plantes de toutes espèces, fournissant chacun, fidèlement, sa nourriture à leurs cultivateurs ou propriétaires. Parmi cette multitude nous pouvions distinguer:

L'ail. Plante (liliacée) dont les bulbes (têtes d'ail) sont formés de caïeux (gousses d'ail) qui ont une odeur forte et un goût piquant, ce qui les fait rechercher pour l'assaisonnement. (Doué d'un pouvoir antibiotique dû à la garlicine et à l'alisine, l'ail a également une action hypotensive.)

L'amandier. Arbre fruitier (rosacée) de 6 à 8 m de haut, aux fleurs blanches apparaissant tôt au printemps et produisant l'amande.

L'ananas. Plante basse semi-pérenne, cultivée en régions tropicales qui fournit un fruit à la pulpe savoureuse. Son gros fruit de forme oblongue, surmonté d'un bouquet, porte aussi son nom.

L'asperge. Plante cultivée vivace (liliacée), du genre asparagus, dont on consomme les jeunes pousses, cuites.

L'avocatier. Arbre fruitier (lauracée) des régions chaudes, dont le fruit est l'avocat.

Le bambou. Plante cultivée dont on consomme, selon les espèces, les feuilles, les racines, les tubercules, les fruits, les graines ; partie consommée de cette plante.

Le bananier. Très grande herbe vivace (musacée) des régions équatoriales, aux feuilles immenses, et dont le fruit est la banane.

La betterave. Plante bisannuelle de la famille des chénopodiacées qui donne la première année une racine charnue et monte à graine la seconde année.

Le blé. Plante annuelle (graminée) cultivée dont les grains sont universellement employés pour la fabrication de farine et de pain.

Le cacaoyer. Petit arbre (sterculiacée) de sous-bois des régions tropicales, originaire de l'Amérique du Sud, cultivé principalement en Afrique, pour la production du cacao.

Le caféier. Arbuste (rubiacée) cultivé dans les régions tropicales pour ses fruits, le café

La camomille. Plante odorante dont plusieurs espèces sont consommées en infusion pour leurs vertus digestives.

La canne à sucre. Plante tropicale haute de 2 à 5 mètres, cultivé pour le sucre extrait de sa tige.

La carotte. Plante cultivée pour sa racine comestible de forme cylindrique, plus ou moins allongée, de couleur rouge.

Le céleri. Plante bisannuelle cultivée, comestible. On distingue le céleri-rave, dont on consomme la racine charnue et le céleri-branche, dont on consomme la racine volumineuse.

Le cerisier. Arbre (rosacée) fruitier, à fleurs blanches, du genre prunus, dont le fruit est la cerise.

Le chou. Nom donné à diverses espèces de plantes, de la famille des crucifères, formant un grand nombre de variétés cultivées pour l'alimentation de l'homme et des animaux.

Le citronnier. Arbre du groupe des agrumes qui produit les citrons, surtout cultivé dans les régions de climat méditerranéen subtropical.

Le citrus. Petit arbre des régions tempérées chaudes, dont le fruit à la structure d'une orange. (On classe les agrumes dans le genre citrus.)

Le cocotier. Palmier des rivages tropicaux, au tronc relativement frêle, pouvant atteindre 25 m de haut, dont le fruit comestible est la noix de coco.

Le concombre. Cucurbitacée annuelle, à fleurs jaunes et aux tiges longues et rampantes, cultivée pour son fruit. Fruit de cette plante, oblong, renfermant de nombreuses graines, apprécié pour sa chair croquante, aqueuse et rafraîchissante.

Le cotonnier. Plante (malvacée) tropicale herbacée ou ligneuse, cultivée pour ses graines oléagineuses et son fruit, couvert de poils cellulosiques, ou coton.

La courge. Plante potagère et d'ornement (cucurbitacée), à longue tige grimpante et à grandes fleurs orangées, dont il existe de nombreuses formes cultivées (courgette, dont on consomme le fruit cueilli jeune ; potiron, au très gros fruit à chair jaune orangée utilisé dans les potages ; citrouille ; pâtisson).

Le cresson. Herbe crucifère des lieux humides, aux feuilles à folioles rondes et inégales, comestibles crues ou cuites, riches en vitamine C, aux petites fleurs blanches à pétales ronds, que l'on cultive dans des cressonnières. (On dit aussi cresson d'eau ou de fontaine.)

L'échalote. Plante potagère, voisine de l'oignon, dont le bulbe est utilisé comme condiment.

L'épinard. Nom donné à des plantes fournissant des feuilles que l'on consomme à la manière des épinards (arroche, bonne-dame, amarante-ansérine, ansérine bon-henri, tétragone ou épinard de la Nouvelle-Zélande, oseille-patience, baselle).

Le fraisier. Plante rampante vivace cultivée et existant dans les bois à l'état sauvage, dont le fruit comestible est la fraise. (Les fraisiers sont des plantes vivaces portant généralement des stolons, à feuilles trifoliées, à fleurs blanches.) [Famille des rosacées.]

Le giraumon ou potiron. Grosse courge présentant une tige coureuse, au fruit sphérique, côtelé, de couleur verte, jaune ou rouge, pesant parfois plusieurs dizaines de kilos et dont la chair jaune-orangé sert à faire des potages.

L'haricot. Plante annuelle ou vivace (papilionacée), grimpante, à feuilles trifoliolées dont on cultive de nombreuses variétés pour ses gousses (haricot vert) ou pour ses graines, qui sont des légumes très répandus.

L'igname. Plante (dioscoréacée) vivrière des régions tropicales, à rhizomes tubérisés comestibles, riches en amidon. (Les ignames sont des lianes volubiles, grimpantes, cultivées sur butte avec tuteur ; leurs tubercules constituent une importante fraction de l'alimentation des populations rurales tropicales.)

Le jasmin. Arbuste (oléacée) dressé ou sarmenteux aux fleurs très odorantes blanches, jaunes ou rougeâtres, à corolle tubuleuse, réunies en cymes ou en grappes. Parfum qu'on tire de ces fleurs.

La laitue. Plante annuelle cultivée (composée) à végétation rapide, la plus courante des plantes utilisées en salade.

Le manguier. Arbre fruitier (anacardiacée) des régions tropicales à saisons bien marquées. (Ce sont des hybrides américains qui fournissent la mangue du commerce). Il produit la mangue, fruit charnu, comestible, à noyau adhérent.

Le manioc. Plante vivrière tropicale (euphorbiacée) aux racines comestibles, dont on tire le tapioca.

Le maïs. Grande céréale (graminée) d'origine américaine, à la forte tige portant un épi femelle formé de grains placés en rangs très serrés.

Le melon. Plante annuelle rampante (cucurbitacée) cultivée pour ses fruits, exigeant beaucoup de chaleur et de lumière, dont il existe de nombreuses variétés. Fruit de cette plante, rond ou ovale, à peau verte à jaune ou brun clair et à chair sucrée et parfumée, orangée à verdâtre.

La menthe. Plante (labiée) très odorante, généralement velue, très commune dans les endroits humides. Sirop, extrait, arôme faits à partir de la menthe.

Le noyer. Grand arbre (juglandacée) des régions tempérées, que l'on cultive pour son fruit, la noix, et qui fournit un bois très apprécié. Bois de cet arbre, utilisé en ébénisterie

L'oranger. Arbre du groupe des agrumes, à feuilles persistantes, du genre citrus, cultivé dans les régions chaudes et qui produit les oranges. (Les États-Unis, le Brésil, l'Espagne, l'Italie sont les principaux pays producteurs.)

Le palmier. Arbre monocotylédone à tronc (stipe) peu ou pas ramifié, à frondaison sommitale formée de feuilles composées, qui sont pennées ou palmées selon l'espèce, dont le bourgeon ou chou de palmiste est consomme comme legume. (La famille des palmiers, ou palmacées, compte plus de 4 000 espèces.

La pastèque. Plante annuelle (cucurbitacée) cultivée sous climat chaud, à tige couchée, produisant un gros fruit comestible, à chair rose très aqueuse et rafraîchissante ; le fruit lui-même.

La patate (douce). Plante alimentaire rampante vivace, surtout cultivée dans les régions chaudes pour ses racines tubérisées de saveur sucrée ; le tubercule lui-même.

Le pêcher. Arbre fruitier (rosacée) de 3 à 5 m de haut, cultivé dans les régions tempérées, et dont il existe de nombreuses variétés du genre prunus et dont le fruit est la pêche.

Le persil. Petit ombellifère annuel ou bisannuel, à tige finement nervurée, à feuilles très coupées, qui sert de condiment et de garniture.

Le piment. Nom donné à plusieurs plantes (solanacées) dont le fruit est utilisé comme condiment ou comme légume. Son fruit est doux ou piquant.

Le poireau. Plante cultivée (liliacée), consommée comme légume, constituée de feuilles engainantes, formant à leur base un cylindre dont la partie enterrée, blanche et tendre, est la plus appréciée.

Le poirier. Arbre fruitier (rosacée) des régions tempérées, produisant la poire.

Le pois. Plante (papilionacée) cultivée pour ses graines, destinées à l'alimentation humaine ou animale, et comme fourrage. Graine de cette plante.

La pomme de terre. Plante (solanacées) cultivée pour ses tubercules, riche en amidon, utilisée pour l'alimentation humaine et animale et à partir de laquelle l'amidon est obtenu. Tubercule comestible de cette plante.

Le prunier. Arbre fruitier du genre prunus cultivé pour son fruit, la prune

Le radis. Plante dont il existe diverses variétés (petits radis, radis raves, radis noirs) cultivées pour leur racine charnue comestible. La racine de cette plante.

Le riz. Nom usuel d'une graminée du genre oryza, céréale très répandue dans les régions chaudes et dont les grains sont très utilisés pour l'alimentation humaine. Grains de cette plante.

Le tournesol. Plante annuelle (composée) de grande taille, à grosse inflorescence jaune qui se tourne vers le soleil, cultivée pour ses graines qui fournissent une huile alimentaire de qualité et un tourteau riche en protéines, servant à l'alimentation du bétail.

La tulipe. Liliacée bulbeuse à grande et belle fleur solitaire en forme de vase, cultivée industriellement. (La fleur montre six grandes pièces pétaloïdes ou tépales, de couleur très diverse selon la variété culturale.)

Au printemps, saison des fleurs, l'éclosion des feuilles des arbres formant une mer de fleurs multicolores, et s'ajoutant à celles des fleurs naturelles, apportent une beauté inexprimable à la nature en fête. Tout cela a fait penser au maniement d'un décorateur qui mettait, en déroute, tout compétiteur. En effet, qui oserait ou chercherait à être jamais comparé au Décorateur ou l'Architect de l'univers?

Oh, un autre fait digne de mention! On a pas censé ignorer la valeur d'un morceau de terre à travers le monde. L'homme attache une importance telle à un morceau de terre qu'il la préfère à son semblable, sans penser que la terre appartient à Dieu, et qu'il peut la réclamer au temps voulu. Car la bible nous dit, dans **Psaume 24:1:**
"À l'Éternel la terre et ce qu'elle renferme,
Le monde et ceux qui l'habitent!"

Combien de vies humaines ont été sacrifiées à travers le monde pour une parcelle de terre ou une propriété. L'exemple frappant est le duel continuel entre Israël et la Palestine, appelée aussi États-Arabes.

Avant 1947, la Palestine était un mélange de Juif et des Arabes. Aux années précédentes, des troubles sanglantes opposaient les Palestiens aux Juifs. Pour établir la paix entre les deux antagonistes, l'O.N.U.(L'Organisation des Nations Unies) décidait le partage de la Palestine entre un état Juif et un état Arabe. L'état Arabe(ou les Arabes ou les Palestiniens), a refusé de reconnaître Israël comme un état indépendant. Il refusait de reconnaître que la terre appartient à Dieu et il la donne à qui il veut.

Ainsi, entre 1948-1973, on comptait quatre guerres Israélo-arabes. À la troisième guerre, appelée aussi guerre de six jours, en Juin 1967, les Arabes ont connu une défaite embarrassante, et Israël a enlevé d'eux ces morceaux de terres suivants: la Cisjordanie, le Gaza, le Golan et la Sinaï. Depuis lors, ces territoires occupés par Israël ont été le théâtre des soulèvements populaires des Arabes. Et pour ces morceaux de terre des milliers et des milliers de vies humaines ont été sacrifiées.

En effet, j'ai observé un mystère dans mon petit quartier où j'ai grandi, et où l'Éternel m'a choisi, m'a mis à part pour son service. Ce mystère m'a été révélé durant la rédaction de cet ouvrage. Ce secret est que l'Éternel a prouvé qu'il est le possesseur de tout ce qui existe sur la terre; qu'il peut l'utiliser volontiers pour la bénédiction de l'homme qu'il a créé à son image et à sa ressemblance.

Ô merveille, l'Éternel est entré dans des propriétés privées, en a partagé le terrain, en a réclamé une partie qui lui est propre, et l'a transformée en une source d'eau vive, purifiée, qui coulait directement de l'intérieur du terrain. Puis, il l'a offerte à tous les gens du quartier et même aux passants. À cette époque, j'avais environ dix ans et j'étais un lecteur fervent de la bible. J'ai retenu ce verset lu dans **Esaie 55:1a:**
    "Vous tous qui avez soif, venez aux eaux, Même celui qui n'a pas d'argent!"

Tandis que j'y avais pensé, il était apparu dans mon esprit comme un écriteau placé sur le portail de l'entrée des sources d'eau où tout le monde venait puiser.

L'une des sources les populaires à l'époque était la source d'eau vive de Débauché, une section du Limbé, Haïti. Presque tous les gens du quartier et même les gens des quartiers environnants y ont puisé de l'eau fraiche. Ils ont envahi cette partie de propriété privée, et personne ne leur a jamais posé de question. Moi, aussi, j'ai reçu cette offre de l'amour infini de Dieu, et j'y allais puiser gratuitement, sans payer un penny. A l'entrée de cette source, c'est comme si tout le monde et même le propriétaire apparent de cette partie de terre, ont lu avec admiration: *"C'est ici la propriété de l'Éternel offerte à tous ses enfants."*

En groupes, souvent avec des chants d'allégresse, les gens de presque toutes les couches: adolescents, jeunes et adultes, formaient une longue ligne et se dirigeaient vers ces sources que l'Éternel clôturaient comme ses propriétés privées au milieu des propriétes privées, et remplissaient leurs seaux d'eau à renverser.

Quelle est cette voix impuissante qui me conseillerait de ne pas servir un Dieu si merveilleux, si incomparable? Habitants ou passants étaient ébahis d'observer les merveilles de l'Éternel, de contempler la bonté infinie de Dieu.

Les habitants de ce quartier étaient très humbles, et très désintéressés. Ils partageaient mutuellement leur nourriture et les produits de leurs champs. par exemple, j'avais l'habitude d'accompagner mon père dans les champs. Nous y allâmes assez souvent sur un cheval ou un âne. De retour à la maison, avec l'animal chargé de produits alimentaires, il les partageait avec beaucoup d'autres familles.

La majorité des habitants de mon entourage était un peu superstitieux et adoptait un ange malin pour protecteur.

Pourtant, ces gens étaient, le plus souvent frappés de plus grands malheurs que les gens ordinaires. Car le plus souvent les mauvais anges ne cherchent pas à protéger, mais abuser et détruire. En effet, et c'est certain, la vraie protection ne se trouve qu'en Jésus-Christ et seulement en Jésus. Ces habitants étaient de purs campagnards. Ils n'allaient ou ne participaient que très rarement aux activités citadines. Notre église est érigée au bourg du Limbé, une commune située au Nord d'Haïti. Mes parents allaient rarement à cette église, mais ils allaient assez souvent à une station évangélique, non loin de la maison, qu'ils considéraient leur église.

Mon père était un cultivateur très laborieux et un commerçant visionnaire. Il procédait à l'achat et à la vente des animaux domestiques: bœufs, porcs et cabris. Parfois, il voyageait de longues distances à pied, 15 a 20 kilomètres par jour. Il retournait à la maison avec un ou deux animaux, parcourant encore une plus longue distance.

Parce que, très souvent, ces animaux sont lents ou épuisés par le parcours d'une si longue distance. Mon père était très patient avec eux et leur donnait du répit, au moins chaque trente minutes. Assez souvent, il retournait à la maison plus tard qu'il espérait. Il a joué toutes les cartes légales pour offrir à ses enfants une vie meilleure pendant que beaucoup d'autres enfants environnants mouraientt de faim ou n'ont jamais eu l'opportunité de s'asseoir sur un banc d'école.

C'est la raison principale qui m'a poussé à lui donner une vie encore plus aisée, à la fin de ses jours. C'était aussi impressionnant de constater qu'il gérait de large somme d'argent, sans une éducation formelle. Qui pis est, il n'a employé aucun comptable. En maintes circonstances, il m'a indiqué la valeur d'une somme d'argent; après vérification, j'ai trouvé exactement la valeur révélée.

Encore, répété-je, mon père n'a pas eu la chance de recevoir une éducation formelle, mais il savait comment s'y prendre pour élever une famille heureuse, unie et pourvoir à ses besoins. Il a utilisé trois jours par semaine pour son commerce; les quatre autres jours étaient divisés en deux parties: une partie pour ses activités personnelles et l'autre pour passer du temps avec ma mère et ses trois enfants: Adélucia, Edna et moi, Moralès.

Qu'on se rappelle que mes parents ont accepté Christ depuis mon enfance, mais sans persévérance. Alléluia! L'Éternel, qui m'a choisi dès le sein de ma mère, a mis la main sur moi par le moyen d'une mentoresse, par des événements d'ordre naturel et spirituel et des révélations divines.

Dans mon quartier et les quartiers environnants, on comptait des milliers d'habitants dont la majorité était païenne, et il y avait aussi un devin qui se considérait roi des païens. Cependant, presque tout le monde vivait comme une seule famille. Tous, y inclus le devin, étaient apparemment protecteurs des enfants et des jeunes.

CHAPITRE 10
Ma Mentoreresse

Parmi les gens de mon quartier, on comptait environs seulement quatre familles converties y inclue la mienne. Mais, la dame la plus fervente et la plus respectée comme leader spirituel s'appelait: sœur Nélia Bélizaire, surnommée 'Tante Née' par tous les adolescents et les jeunes adultes qui l'ont connue.

C'était elle, ô merveille, que l'Éternel a choisie pour ma mentoresse. Combien il était impensable que tous les enfants, les adolescents et les jeunes campagnards, quelque soit le quartier ou la section où ils habitent, appelaient les adultes inconnus ou connus: "Oncle ou tante". Un adulte du quartier ou même ailleurs, était traditionnellement autorisé par les parents eux-mêmes, de corriger, réprimander les enfants, les adolescents et même les jeunes adultes, dans le cas où ces derniers auraient commis une infraction ou agi immoralement.

Ils avaient même le droit de leur donner une fessée sans opposition; et si le temps leur avait permis, ils auraient conduit ces enfants chez leurs parents. Ces derniers les auraient remerciés sincèrement. C'est pourquoi, presque toutes les sociétés campagnardes du pays menaient une vie presque complètement exempte de violence. Mais, la fétiche, la magie, la divination et plusieurs autres pratiques pernicieuses ont empoisonné, en quelque sorte, cette atmosphère qui aurait promis une vie campagnarde si agréable. Ces pratiques ont été utilisées ou en majeure partie, pour une protection personnelle, mais pas principalement pour attaquer et troubler les autres familles.

'Tante Née' habitait non loin de ma maison. Son époux et mon père vivaient comme deux frères. Avec le temps, ils devenaient fidèles partenaires dans les affaires commerciales. Elle était une femme très pieuse. Elle était respectée et honorée de tout le voisinage. Elle m'a pourvu de la même affection maternelle que ses propres enfants. Elle m'a dit un jour: "Je te considère comme mon propre fils à cause de ta bonne conduite et de ta crainte pour Dieu". Reconnaissance éternelle! C'était elle qui m'a fourni les premières notions de l'évangile, m'a conduit à l'église et dans les réunions de prières. Je lui dois une dette éternelle.

Les résultats de sa dévotion et de sa piété ont façonné ma vie spirituelle et ont fait de moi ce que je suis aujourd'hui : pasteur, conférencier, enseignant et écrivain. Je vais seulement mentionner deux résultats mémorables de sa dévotion spirituelle dont j'ai été témoins moi-même. J'ai connu deux festivités païennes organisées en Haïti:

a) Le Mardi gras qui, au niveau local ou national, a été célébré avec de grands cortèges musicaux, et ont rallié des centaines et des milliers de personnes.

b) Le Rara qui était le diminutif de Mardi Gras, était une petite festivité organisée au niveau campagnard ou local, avec des tambours et d'autres petits instruments.

PREMIER RÉSULTAT DE LA DÉVOTION SPIRITUELLE DE 'TANTE NÉE'

Je me rappelle d'un événement intéressant qui était arrivé, concernant le puissant devin mentionné plus haut, et 'Tante Née.' Le devin était le roi du quartier. Mais, il a toujours éprouvé une grande crainte pour 'Tante Née'. Il était le chef du groupe Rara du quartier. Il utilisait ce groupe spécialement pour collecter des fonds, avec le but de faire avancer sa pratique divinatoire.

Lorsque ce groupe était en action, il ébranlait tout le voisinage, parce qu'il avait peur de lui. Il entrerait volontiers dans la cour de chaque famille, sans avertissement, que le propriétaire soit disposé de le recevoir ou non. Après avoir performé, chaque famille avait l'obligation de contribuer substantiellement. Personne ne pouvait dire: "Je n'ai rien à donner aujourd'hui".

Au moment où ce groupe se dirigeait vers le domicile de 'Tante Née', le devin avertissait: "Attention! Nous n'entrerons pas chez cette femme. Je n'ai rien à voir avec elle. Ne posez jamais vos pieds dans la cour de cette femme". Cela prouve que les devins, les magiciens et les démons ont attesté que la puissance de Dieu dans la vie des chrétiens fidèles, est toujours plus grande que la leur.

DEUXIÈME RÉSULTAT

Un jour 'Tante Née' m'a raconté l'histoire du grand amour de Dieu à son égard, que j'ai aussi jugé une récompense de sa grande foi en sa toute puissance. Elle venait du grand marché. Je veux rappeler aux lecteurs qu'à part le marché local (Le petit marché) de la commune du Limbé, son arrondissement était parsemé de grands marchés, éparpillés dans plusieurs endroits éloignés et fonctionnés à des jours différents.

Ainsi, les commerçants, classés comme acheteurs, vendeurs et éleveurs, voyageant de très loin pour aller au marché, retournaient, assez souvent, à la maison jusqu'au soir. Qu'on n'est pas censé ignorer qu'à la campagne, au soir, par faute d'électricité, les ténèbres couvrent tous les quartiers. Il y avait un endroit appelé 'Quartier des démons'. C'était là que 'Tante Née' devait passer pour aller à la maison. Son mari, dont la foi était très faible, n'avait pas la témérité d'aller la rencontrer. Donc, elle devait traverser ce quartier démoniaque par elle seule. Pourtant, nous avons appris que les démons ont toujours peur de plusieurs personnes.

À peine arrivée dans ce carrefour, elle était entourée de démons. Subitement, elle voyait quelqu'un devant elle. Il avait la ressemblance d'un ange. En un instant, elle devenait comme une personne venant à peine de performer une procédure d'anesthésie. Elle a perdu connaissance. En ouvrant les yeux, elle se voyait dans la cour de sa maison. Son mari, qui l'a impatiemment attendue, avait, bien vite, ouvert la porte pour la recevoir. Elle lui a demandé: "Comment sais-tu que j'étais arrivée". Il lui répondit: "Tu as frappé à la porte, n'est-ce-pas?" Après lui avoir tout raconté, ils ont tous deux conclu qu'elle était secourue par l'ange de l'Éternel, et que l'ange lui-même a frappé à la porte.

Voilà les moyens sûrs et certains que l'Éternel a utilisés pour mettre la main sur moi, et pour ne jamais retourner en arrière. Oh, que le Dieu omniscient, qui m'a choisi dès le sein de ma mère, est merveilleux! Maintenant, sans nul doute, je suis tombé d'accord avec roi David dans son cantique d'admiration ou **Psaumes 139:15-18**:

"Mon corps n'était point caché devant toi,
Lorsque j'ai été fait dans un lieu secret,
Tissé dans les profondeurs de la terre.
Quand je n'étais qu'une masse informe, tes yeux me voyaient;
Et sur ton livre étaient tous inscrits
Les jours qui m'étaient destinés,
Avant qu'aucun d'eux n'existât.
Que tes pensées, ô Dieu, me semblent impénétrables!
Que le nombre en est grand!
Si je les compte, elles sont plus nombreuses que les grains de sable.

Je m'éveille, et je suis encore avec toi ".

C'est cette femme de foi profonde et de grande consécration que l'Éternel a choisie pour m'enseigner des leçons de la toute-puissance du seul vrai Dieu et m'a préparé pour confronter, sans peur et sans crainte, toutes les épreuves de la vie. Au centre de toutes ces expériences accablantes que j'aurai faites dans ma vie, mystérieusement, mon amour pour ce Dieu grand en fidélité, devenait de plus en plus intense. Il a fait pour moi, comme il a fait pour Moïse, Joseph, Job, Pierre et les trois jeunes Hébreux, etc.

CHAPITRE II
Les Interventions Divines

EVENEMENTS D'EXPÉRIENCES PERSONNELLES ET DE CONCLUSIONS SPIRITUELLES

1) J'avais un ami d'enfance appelé, Luckner Bélizaire. Nous avons grandi ensemble. Mais, par circonstance ou par choix, nous avons occupé deux pôles opposés. J'étais chrétien; il était païen. Nous vivions environ un Kilomètre de distance entre nous. En grandissant, notre amitié s'est refroidie, un peu, pour deux raisons: j'allais a l'école; lui, il n'y allait pas. J'aimais le Seigneur; lui, il se moquait de mon Dieu. Mais, puisque nous avons grandi ensemble, les souvenirs d'enfance étaient si forts entre nous, que nous demeurions, quand bien même, deux amis.

J'étais doux et humble de coeur, et bien que très jeune, j'étais aussi visionnaire et consistant dans mes décisions. Je demeurais ainsi toute ma vie. Lui, il était très fort, très ouvert, très fougueux et très populaire. Il était un peu prétentieux. Toute cette confiance en soi était conçue par la simple raison que sa maman était servante de plusieurs esprits mauvais, appelés 'Loas', a-t-on dit, très puissants. Ils avaient la puissance, a-t-on entendu, de réduire à rien tous ceux-là qui attaquaient leurs serviteurs. Tous les jeunes environnants, moi y inclus, l'avons appelé 'Louque'. Lui, il m'a appelé 'Mora'. J'avais l'habitude de lui dire: 'Louque', mon ami, donne ta vie à Christ; Il est tout-puissant! Il est le seul qui puisse te protéger dans tous les dangers. En effet, il m'a répondu par toutes sortes de moqueries et d'ironies, parmi les jeunes amis de différents intérêts, comme par exemple: "Mora, mon cher, Jésus ne peut rien faire pour moi. La doctrine qu'on appelle l'évangile est une plaisanterie". Il continua: "Avec tous ces L'oas', ma maman a plus de puissance que ces deux, combinés: Ton Jésus et ton évangile". N'as-tu pas été témoins, a-t-il ajouté, qu'aucune maladie naturelle ou surnaturelle, n'a jamais eu de pouvoir sur les enfants de ma mère. Nous sommes protégés par ses puissants 'Loas'! Quand nous sommes attaqués par l'ennemi ou par un autre esprit qui n'est pas de ceux de ma mère; elle a fait appel à ses 'Loas' qui viennent toujours et sur le champ nous délivrer.

La statistique a rapporté, spécialement vers les années 1960, que 85% des jeunes haïtiens n'ont pas eu l'opportunité de fréquenter l'école. Les autres 15% sont divises en deux catégories: Environ 10% ont discontinué avant le certificat d'études primaires, après le certificat ou après quelques années d'études secondaires. Les 5% qui restent avaient l'opportunité d'atteindre la rhétorique et la philosophie. J'avais la grande bénédiction de continuer et de terminer mes études, dans la grande ville du Cap-Haïtien, par la grâce et l'amour infini du Dieu omnipotent qui a choisi un cousin de bon cœur, m'ayant offert de prendre la responsabilité de mes études secondaires, de laisser le Limbé pour aller le rejoindre au Cap-Haïtien et poursuivre ces études.

Un samedi, vers les trois heures de l'après-midi, étant au Cap-Haïtien, perché sur un balcon et éperdu dans mes études, quelqu'un de ma connaissance qui observait, de prés, mon amitié avec Luckner, accourait en hâte auprès de moi, et avec grande émotion, m'annoncer que mon ami d'enfance était subitement et gravement malade. Sa maman a passé toute la journée du samedi jusqu'au dimanche matin, à invoquer ses 'Loas'. Aucune réponse! Tous ses 'Loas' étaient impuissants de la secourir, et très tôt dimanche matin, Luckner a rendu le dernier souffle. Tout le quartier était en branle pour un jeune garçon de dix-sept ans environ, si populaire, si fougueux qui venait de disparaître comme un souffle. De plus, tous les jeunes du quartier vivaient comme une seule famille. Tout le monde était étonné de ce que cette dame, servante de ces esprits puissants, n'a pas pu guérir ou sauver son fils. On a rapporté, plus tard, selon la diagnostique d'un devin, qu'un autre groupe de mauvais esprits plus puissants se révolta contre les esprits que servaient cette dame. Il remporta la victoire. En revanche, il a piqué ce jeune garçon avec ses aiguillons invisibles.

Luckner commença à verser du sang comme une rivière en crue à minuit de ce samedi, et dimanche à six heures du matin, il a rendu le dernier souffle. Il était déjà mort. Quelle leçon pour ceux-là qui marchent sans Dieu ou en tâtonnant et qui mettent leur confiance dans la puissance incertaine des esprits méchants. Sur la terre ' A malin, malin; malin à demi'. Car, Dieu seul est omnipotent, omniscient et omniprésent. J'ai béni le nom saint et glorieux de mon Dieu de m'avoir choisi pour l'un de ses protégés depuis ma tendre enfance.

En Haïti, presque chaque famille ou ses ancêtres servaient un ou des mauvais anges, appelés aussi: mauvais esprits, esprits malins, esprits méchants ou 'Loas.' Pour eux, ces esprits sont leurs protecteurs invincibles, parce qu'ils réclamaient eux-mêmes une famille personnelle. J'ai aussi entendu que deux et même trois familles servaient les mêmes esprits. Et cela allait de parents en parents ou de génération en génération.

Cependant, le réclamé ou un descendant peut s'éloigner de lui par la conversion ou une forte volonté. Car, j'ai rencontré des familles qui ont refusé de servir un esprit malin. Mon père en était un exemple bien frappant. Je n'ai jamais soupçonné que mon père servait un 'Loa' ou un mauvais esprit. Je n'ai jamais connu les grands parents du côte de ma mère. Mais, j'ai eu la bénédiction de vivre avec mes grands parents du côte de mon père durant mon enfance et mon adolescence, ils n'ont pas non plus servi de 'Loa'.

J'étais déjà un adolescent lorsque je les ai perdus. Ils n'ont jamais rien offert à aucun 'Loa'. Cependant, ceux-là qui servaient les 'Loas' avaient l'obligation de célébrer chaque année une fête en leur honneur. Cette fête était strictement observée de peur que le méchant maître ne se mettait pas en colère et détruisait la famille entière, par la maladie une succession de calamités, ou la mort subite. Durant cette fête, ces familles ont présenté les éléments suivants: argent, bœufs, cabris, poules, etc. et toutes sortes de produits alimentaires. La nourriture préparée pour la fête était un mélange de tout. Elle était ensuite distribuée à profusion à chaque assistant, après avoir présenté la meilleure partie aux esprits soi-disant protecteurs ou 'Loas'. À cette époque, la famille en charge de la fête, a choisi un ou plusieurs devins pour être maîtres de cérémonie. Après toutes ces manifestations, paraissant si réjouissantes, ces familles devenaient plus misérables que jamais.

J'ai entendu, un jour, ce rapport concernant l'une de ces cérémonies: Il s'agissait d'une famille qui a choisi deux devins de renom pour être maîtres de cérémonie d'une fête offerte en l'honneur de son 'Loa'. On a rapporté que toute la journée, il y avait une discussion entre eux, parce qu'ils ne pouvait s'accorder en aucune décision, et cette fête devenait une confusion totale. Rien ne pouvait être accompli ce jour-là. La connaissance acquise de l'enseignement de mon divin Maître, Jésus de Nazareth, m'a appris qu'il n'y avait rien d'étonnant dans cette affaire.

Ecoutons donc le Maître dans son enseignement, rapporté dans **Matthieu 12:25-26** :

"Tout royaume divisé contre lui-même est dévasté, et toute ville ou maison divisée contre elle-même ne peut subsister. Si Satan chasse Satan, il est divisé contre lui-même; comment donc son royaume subsistera-t-il?"

J'ai appris et j'ai été témoins que du côté de ma mère, certains membres de la famille servaient ces genres de 'Loas.' Mais, Dieu soit loué, du côté de mon père, on a jamais mentionné ces genres de pratique. J'ai aussi observé qu'aucun parent, du côté de mon père servait ces mauvais esprits. Dieu qui m'a choisi du sein de ma mère, m'a fait grandir parmi les parents de mon père, et je n'ai jamais participé à ces pratiques pernicieuses. Ces pratiques n'étaient pas seulement populaires, chez les campagnards, mais parmi toutes les familles haïtiennes, quelque soit leur position intellectuelle ou financière. Ainsi, l'Éternel a développé en moi, dès mon jeune âge, un dégoût pour ces superstitions.

2) J'avais un condisciple de classe, appelé Maniphart Moralien. Nous avons fait toutes nos études primaires ensemble. Lorsque nous étions en Moyen 2, notre école devait subir une réparation et nous avons dû être transférés dans un autre établissement de trois heures de marche de ma maison, et deux heures de marche de la maison de mon condisciple, parce qu'il n'avait presque pas de transportation à l'époque. Puisqu'il était très difficile de nous rendre à la maison après l'école, notre directeur qui était un chrétien de bon cœur et très attaché à moi, a fait des arrangements pour nous loger dans un dortoir, à l'intérieur de l'établissement scolaire.

La maman de mon ami, nous a apportés de la nourriture deux fois par jour. Elle m'a aussi assuré qu'il n'y avait aucune différence entre moi et son fils. Elle m'a dit qu'elle nous a considérés comme deux fils de ses entailles. Depuis lors, Maniphart et moi vivions comme deux frères et un amour filial s'est formé dans mon coeur pour elle. J'ai traité cette dame comme ma propre mère le reste de sa vie. Cependant un grand abîme nous a séparés: j'étais chrétien, Maniphart et ses parents étaient païens. J'ai fait tous mes possibles pour les gagner pour Christ, mais en vain. La raison principale de mon échec est que j'étais encore un adolescent, et les adolescents, à cette époque, n'avaient aucune influence sur les adultes, aussi bien que les jeunes de son âge qui étaient perdus dans leur philosophie.

Le point essentiel de cette histoire est que lorsque les examens de fins d'études primaires s'approchaient, mon ami-frère m'a abordé et m'a confié: "Mon cher Mora (mon surnom), mes parents allaient consulter un devin pour assurer ma réussite. Je t'encourage de demander à tes parents de faire de même pour toi. Autrement, tu sais ce qui arrivera! Tu seras certainement échoué!" Je lui ai répondu avec un geste émotionnel et avec tout mon sang-froid: Maniphart, mon ami, ne sais-tu pas que je suis chrétien et je me suis toujours comporté comme tel devant toi, durant tout le temps de notre amitié? Toute ma foi s'est reposée sur Christ et Christ seulement. Il y a un seul Dieu tout-puissant, le Dieu du ciel et de la terre. C'est en lui que j'ai mis toute ma confiance. Ecoutez-Le dans **Esaie 45:20-23** :

"Assemblez-vous et venez, approchez ensemble,

Réchappés des nations!
Ils n'ont point d'intelligence, ceux qui portent leur idole de bois,
Et qui invoquent un dieu incapable de sauver.

Déclarez-le, et faites-les venir!
Qu'ils prennent conseil les uns des autres!
Qui a prédit ces choses dès le commencement,
Et depuis longtemps les a annoncées?
N'est-ce pas moi, l'Éternel?
Il n'y a point d'autre Dieu que moi,
Je suis le seul Dieu juste et qui sauve.

Tournez-vous vers moi, et vous serez sauvés,
Vous tous qui êtes aux extrémités de la terre!

Car je suis Dieu, et il n'y en a point d'autre.
Je le jure par moi-même,
La vérité sort de ma bouche et ma parole ne sera point révoquée:
Tout genou fléchira devant moi,
Toute langue jurera par moi ".

Surprise! Surprise! Surprise! Aux résultats des examens, j'étais lauréat sur toutes les écoles rurales et mon condisciple-frère qui allait s'assurer une réussite facile et m'a averti d'un échec certain si je ne suivais pas sa voie, était au bord de l'échec. J'associe ma voix avec celle de David pour exclamer dans le **Psaume 34:1:**
"Je bénirai l'Éternel en tout temps;
Sa louange sera toujours dans ma bouche".

3) De tout temps, les États-Unis ont été considérés comme un pays où coulent le lait et le miel. Les gens de partout s'y refugient avec empressement, à la recherchent de la fortune ou d'un mieux-être. Vers les années 1980, un groupe d'étudiants et de professeurs, avaient pris une décision arrêtée de profiter d'une occasion favorable pour entrer aux États-Unis. Pour cela, ils ont tout mis sous leurs pieds, pour entrer dans cette terre promise.

Pensant à tous les biens que je leur ai rendus, leur communauté et l'appréciation générale que j'ai reçue de mes bénéficiaires, ils ont éprouvé la grande joie de m'inviter à partir avec eux. J'ai embrassé cette invitation aimable et inattendue. Sans perdre de temps, j'ai réuni toutes les formalités, nous étions prêts pour partir. Bien que j'aie été le seul chrétien dans le groupe, je leur ai demandé de nous réunir dans un endroit désigné pour réclamer la providence de Dieu. Après cette prière adressée au Dieu suprême, ils ont réclamé de présenter une prière à leur dieu ou leur esprit protecteur. Je m'étais opposé inflexiblement à cette proposition, leur enseignant qu'il n'y a qu'un seul vrai Dieu; c'est à ce Dieu que nous devons adresser nos requêtes et nos supplications.

De toute façon, Ils ont insisté et ont décidé de présenter leur requête à leurs dieux imaginaires. J'ai refusé d'y participer, et je leur ai prié sagement de m'en excuser jusqu'après leur prière. Ô puissance! Parmi un groupe de huit personnes environ, j'étais le seul à voyager en ce temps-là. Tout le monde devrait savoir que le Dieu des chrétiens sincères, est le seul vrai Dieu.

J'étais sincèrement attristé, en ce que, tout le groupe qui m'a invité était bloqué pour une raison ou une autre. Mais, j'ai béni le nom de Dieu pour sa sagesse infinie, sa toute-puissance et sa fidélité. Je me rappelais, en l'occurrence, les paroles de Job, exaltant la toute-puissance et la sagesse infinie de Dieu, dans **Job 12 :13-16 :**
> *"En Dieu résident la sagesse et la puissance.*
> *Le conseil et l'intelligence lui appartiennent.*
> *Ce qu'il renverse ne sera point rebâti,*
> *Celui qu'il enferme ne sera point délivré.*
> *Il retient les eaux et tout se dessèche;*
> *Il les lâche, et la terre en est dévastée.*
> *Il possède la force et la prudence;*
> *Il maîtrise celui qui s'égare*
> *ou fait égarer les autres"*.

3) Le deuxième samedi du mois d'octobre, soit le 13 Octobre1990, je me réveillais de très tôt, pour me préparer à entamer mes activités de la journée. En tout premier lieu, je m'agenouillais au pied du Seigneur,

pour lui demander de me guider. Après une bonne douche, j'ai pris mon petit déjeuner. Maintenant j'étais prêt pour entamer le 'numéro un' de mon itinéraire: réunion d'informations de L'ALLIANCE DES ÉGLISES BAPTISTES HAITIENNES DES ÉTATS-UNIS. Cette réunion devait avoir lieu à Jersey City, New Jersey. Le moment de mon départ était arrivé. J'ai pris mon calepin, ma bible, mon chant d'Espérance, et j'ai dit : bye, bye à ma tendre femme, par un doux baiser.

J'ai pris ensuite la direction de la porte à sortir. Pendant que j'ouvris la porte, j'ai entendu un appel téléphonique. Je me sentais un peu dérangé, et je n'avais pas voulu enlever le téléphone, parce que je n'aime pas manquer mes rendez-vous, et j'aime être toujours à l'heure dans tout ce que je fais. Donc, je voulais être à l'heure dans la réunion en question. Cependant, mon intuition ou le Saint-Esprit, je supposais, m'a ordonné de répondre à l'appel, avant de partir. J'ai timidement enlevé le téléphone et dit hello! Une sœur sincère et fidèle de l'église que je dirigeais, alors sœur Annette prévilon, s'était écriée, avec grande émotion: "Pasteur Moralès! Pasteur Moralès! Problème! Problème!" Comme si cette bien-aimée sœur allait m'annoncer la mort subite d'un membre de l'église. Je lui ai dit: calme-toi, ma sœur! Calme-toi! Le Seigneur est avec nous.

Maintenant, dis-moi ce qui s'est passé! Les eaux ont envailli l'église, furent ces nouvelles pressantes et troublantes. Je veux mentionner aux lecteurs que l'église mentionnée, plus haut était l'Église Baptiste Haitienne Ében-Ézer de Westbury, Long Island, New York, où j'étais fondateur et pasteur. Sans émotion et avec grand calme, je lui ai dit : ne t'en fais pas, bien-aimée! Calme-toi, je viens tout de suite. Ne t'inquiètes pas! De préférence, commence à prier.

J'ai appelé l'un des leaders de l'Alliance pour motiver mon absence. Ensuite, j'ai appelé l'un des collaborateurs de mon église. Je lui ai prié d'appeler, sans retard, une compagnie de plomberie. Car nous avons un problème dans la toilette de l'église. Il m'a fait comprendre que, les samedi à Westbury, presque toutes les compagnies ont fermé leurs portes. Je lui ai dit ok, je viens. J'ai pris mes bottes et quelques habits de rechange. J'étais fermement décidé, de prendre la direction de Westbury, Long Island, New York.

Maintenant, je conseillerais à mes lecteurs de prêter une attention soutenue à la suite de cette histoire, à la fois pathétique et glorieuse. Car il y aura beaucoup à apprendre pour une vie chrétienne abondante et fortifiée par la foi.

Arrivé à l'église, mes mains furent inconsciemment jetées sur ma bouche et ma tête. Le temple ressemblait à un passage d'une rivière en crue, et personne n'était présent pour m'aider. La sœur qui m'a appelé devait laisser pour s'acquitter d'une obligation pressante. Elle passait simplement pour jeter un regard sur le temple de l'église, avant de vaquer à ses occupations. Le temple était complètement inondée des eaux pompeuses de la toilette. L'église était encore jeune et faible. J'y avais une poignée d'ouvriers et aucun d'eux n'était venu à mon aide, comme si l'église était mon bien personnel.

J'ai essayé de contacter plusieurs compagnies de nettoyage et de plomberie, personne ne m'a répondu. C'était un teste de l'Éternel; il avait un plan pour moi, et il allait éclater sa gloire dans ma vie, après une épreuve insuportable. Durant la souffrance, l'Éternel donne toujours aux chrétiens fidèles, la force de supporter. Parfois au milieu et surtout à la fin de nos souffrances, il a fait éclater sa gloire dans notre vie. Voyons, en quelque sorte, ce que la bible dit a propos :

1 Corinthiens 10:13

"Aucune tentation ne vous est survenue qui n'ait été humaine, et Dieu, qui est fidèle, ne permettra pas que vous soyez tentés au delà de vos forces; mais avec la tentation il préparera aussi le moyen d'en sortir, afin que vous puissiez la supporter".

L'histoire continue. J'ai enlevé mes habits de berger pour me revêtir des habits de rechange, des habits de labeur; j'ai mis mes bottes et mes gants. J'ai pris une machine à laver et a sécher. Je me suis mis courageusement à la besogne. Plus je séchais, plus les eaux pompaient de la toilette, et par intervalles réguliers. J'ai commencé à sécher exactement à midi. Après trois heures de nettoyage et de séchage, ou environ trois heures de l'après-midi, rien ne changeait.

J'ai déployé tous mes efforts pour arrêter le pompage de l'eau, mais en vain. Pendant ce temps, mon esprit et mon corps commençaient à être fatigués, et j'ai imploré, en pleurant : Seigneur, fortifie-moi, car il faut qu'il y ait service demain pour la gloire de ton nom. Entretemps, un soi-disant ouvrier, un membre du comité exécutif de l'église, fit son apparition. Un sentiment de soulagement a allégé mon coeur, à la pensée qu'il était venu, sans doute, pour m'offrir son aide. Mais, à ma déception spirituelle et morale , il m'a dit: "Heu!!!" Pasteur Moralès, tu as du fiel, pour travailler dans une telle condition. Je le regrette, je ne peux pas t'aider, et il s'en était allé.

Alors, je sentais une épée trancher mon coeur pièce par pièce. J'ai repris ma force et je lui ai dit pendant qu'il partait: Tu ne peux pas m'aider, n'est-ce pas? Moi, je suis prêt à tout accepter pour Christ qui s'est donné lui-même en sacrifice pour me donner la vie. "Bonne chance, pasteur". C'était ses mots d'au revoir. Ces actions impitoyables déchiraient mon coeur. Mais, j'ai fini par réaliser que Dieu l'a voulu ainsi. Il a voulu que j'ai fait face à ces épreuves. Car ce Dieu fidèle et mystérieux allait se révéler à moi avec puissance. Tout de suite après le départ de l'ouvrier insensible, l'esprit de découragement s'est dissipé en moi, et une force soudaine a pénétré tout mon être.

J'ai lancé un grand cri en forme de prière avec ces mots de profonde reconnaissance: Seigneur Jésus, toi, le roi des rois, Dieu parfait, tu as laissé ton trône céleste, ton trône éternel, pour descendre sur cette terre de péché, prendre naissance dans une étable, l'endroit le plus dédaigné, le plus méprisé, le moins fréquenté, même par les gens les plus pauvres, pour te préparer à être crucifié sur la croix sanglante à Golgotha, pour payer le prix de mes péchés, de mes iniquités.

Je t'aime; je te suis reconnaissant, mon Dieu, mon Roi, et je veux souffrir pour toi. Seulement, viens donc à mon secours et fortifie-moi en cette situation qui, humainement, parait impossible.

Redoublé de force, je me suis remis à l'œuvre, et j'ai continué encore à sécher sans résultat. À cinq heures de l'après-midi, une soi-disant femme de prière de l'église était venue et m'a frappé d'un autre coup de foudre: "Pasteur Moralès. c'est assez! Fais dire aux membres de l'église qu'il n'y aura pas de service demain". Je lui ai répondu avec une passion inattendue: va dire à tous les membres de l'église, qu'il y aura un service solennel demain, Dieu voulant, en l'honneur de l'Éternel, et pour leurs bénédictions; invitez amis et voisins, ai-je continué. Elle m'a répondu par un signe d'ennui, et m'a dit: "Oké, pasteur! Je ne peux plus rester" comme si elle m'a pris pour un fou et un visionnaire et s'en était allée.

Ma jeune femme, alors avec deux petits enfants, m'a appelé plusieurs fois durant la journée et était très triste de ce que personne n'était venu à mon aide. Je l'ai consolée: ne t'en fais pas, ma chérie; j'ai fait tout pour la gloire de Dieu, et il ne m'abandonnera pas.

Je ne vivais pas à Westbury ; même quand je ne pouvais pas trouver une compagnie de plomberie, les ouvriers de l'église qui y habitaient, auraient essayé de trouver un plombier ou quelqu'un qui a une certaine connaissance en plomberie, pour aider avec la situation. Tout le monde a fait montre de coeur froid. C'est comme si l'Éternel a endurci le coeur de tous, parce qu'il viendra, avec puissance, m'apporter son secours.

Ma femme m'a encore appelé à dix heures du soir, et m'a dit: "My love(Mon chéri, mon amour); où es-tu?" J'ai répondu, comme rien n'était: Je suis encore dans le temple. Elle lamentait: "Je t'en supplie; viens donc maintenant. Je ne vais pas dormir avant que tu viennes. Dis-moi donc ce qui s'est passé?" Ne t'inquiètes pas, lui ai-je rassuré? Je dois préparer l'église pour le service de demain, Dieu voulant. Va donc dormir en paix; je viens. Que ton coeur ne se trouble point, notre Dieu est fidèle. Il ne nous abandonnera jamais. Pendant ce temps, les eaux, venant de la toilette, continuaient à pomper avec plus d'intensité

À onze heures du soir, lorsque je voyais aucun moyen de mettre fin à ce pompage d'eau mystérieux, j'ai appelé ma femme, pour lui dire: chérie, le travail n'est pas encore terminé. Prie et va dormir. L'Éternel est avec moi. Elle commençait à pleurer et a réitéré: "Je ne vais pas dormir tant que tu ne viennes pas". En ce temps-là, elle avait deux bébés. Je lui rappelle: fais ça pour Jésus. Mets ta confiance en ce Dieu tout-puissant; prie et va dormir. Elle a maintenant obéi. J'ai fermé le téléphone avec ces paroles: le Seigneur est avec nous. Sans me laisser décourager, j'ai continuais à sécher en chantant et en glorifiant le Seigneur, jusqu'à 11:45 p.m., sans résultat. Alors, ma force était complètement épuisée, et je sentais un vide en moi.

Je me jetais ventre contre le plancher, sur le podium de l'église, et commençais à prier ainsi: Seigneur, vas-tu me laisser passer douze heures de temps, travaillant sans relâche, pour ne rien accomplir? Vas-tu laisser fermer les portes de l'église demain? Sais-tu que les faibles et les ennemis de la foi vont dire ? "Il a passé tout son temps à l'église hier, pour démontrer qu'il a beaucoup de foi et qu'il aimait l'Éternel plus que tous les autres, mais il n'a rien accompli".

Non Seigneur, ça ne peut pas être, et au grand jamais, pendant que je me livre au sacrifice purement et simplement en reconnaissance de tes bienfaits envers moi. Seigneur, certainement tu as entendu lorsque j'ai dit à la sœur, pendant qu'elle m'a dit de fermer les portes de l'église demain, d'aller dire à tous le monde, chrétiens et non chrétiens de venir à l'église, en masse, demain. L'ai-je dit par orgueil ou par puissance? Non! Tu es Dieu. Tu sais bien que je l'ai fait pour ta gloire et pour ton honneur.

Pendant ce temps, un profond sommeil m'a dérobé; entretemps, quelqu'un venait me secouer et m'a dit: "N'as-tu pas entendu que ta femme t'a appelé plusieurs fois? j'étais réveillé en sursaut. Aucun bruit ne se faisait entendre. Étourdi, je n'ai rien compris. Après m'être reconnu un peu, je regardais autour de moi et autour de l'église en tremblant, pensant que le pompage de l'eau continuait sa course. Le courant d'eau cessait. Tout faisait silence autour de moi. Je ne pouvais croire mes et mes oreilles et mes yeux. Je pensais que j'étais encore entre sommeil et réveil.

Je secouais ma tête pour être sur que j'étais vraiment réveillé; encore, aucun bruit. Le pompage de l'eau s'était complètement arrêté. J'étais comme fou et j'exclamais: merci, Seigneur! Merci, seigneur! Que tu es grand; que tu es puissant! Ta bonté dure à jamais et ta miséricorde, de génération en génération, et j'ai ajouté: qui es comme toi, sur la terre et dans les cieux, ô mon Dieu, mon Roi? Je me remettais à l'œuvre, avec ce chant de reconnaissance: "Dans les cieux et sur la terre, il n'est aucun nom plus doux…"

J'ai séché, j'ai lavé et j'ai désinfecté tout le sanctuaire. J'ai ensuite appelé ma femme pour lui donner cette bonne nouvelle, et elle s'en était réjouie. J'ai repris la route, chantant, dansant et glorifiant le Dieu, éternellement puissant et miséricordieux. J'étais arrivé à la maison à deux heures du matin, trouvant ma femme qui m'attendait à la porte. Elle m'a entouré de ses bras délicats, me disant: "Tu es vraiment le fils d'Abraham" et nous bénissons ensemble le nom de Dieu. Le lendemain, comme prévu, nous avons eu un service spectaculaire en l'honneur de notre Dieu.

Soyons reconnaissants envers ce Dieu puissant et admirable
pour ses bienfaits envers nous.
Aimons le Seigneur de tout notre coeur.
Ayons une foi sublime en ce Dieu réel et tout-puissant.
Et nous aurons ainsi la grâce de bénéficier de ses prodiges
et de ses miracles.

MA MALADIE ET MA GUÉRISON MIRACULEUSE

4) J'ai souvent entendu, par oui dire, et durant mon adolescence, qu'en Haïti, certains voisins, les gens du même quartier ou des quartiers environnants, les camarades de classe ont souvent éprouvé de la jalousie envers les élèves intelligents, et ont même parfois cherché a les éliminer. Par la grâce de Dieu, j'étais parmi les plus brillants de mes camarades de classe. Dieu m'a fait grâce d'une grande foi, et je n'ai jamais eu le sentiment que quelqu'un pouvait me faire du mal. Après les examens de Seconde, j'étais admirablement admis en Rhéto. C'était vraiment une réjouissance, une vraie joie pour mes parents et apparemment, même pour certains de mes voisins, qui m'ont présenté des compliments que j'ai acceptés avec beaucoup d'humilité. Car, atteindre ce degré scolaire en Haïti, était un

grand espoir pour les parents qui comptent, assez souvent, au support de leurs enfants en la poursuite d'une haute éducation.

Durant cette réjouissance et au cours des vacances d'été de cette même année. J'étais tombé gravement malade. Après une semaine, je devenais de plus en plus grave. Je ne pouvais ni manger, ni boire. On n'est pas censé ignorer que les dieux des Haïtiens non chrétiens étaient les devins, les mediums et les diseurs de bonnes aventures. Et de plus, en ce temps-là, mes parents n'étaient pas aussi affermis en foi que moi. Mais, béni soit l'Éternel, mon père avait toujours ces dieux en horreur. Ils ne croyaient pas en leurs prédictions, et délibérait ouvertement contre eux.

Tous les amis de mon père l'encourageaient à visiter un devin sur mon compte, et spécialement ma feue tante, Lucilia Saintilus, qui m'aimait comme son propre fils et que j'aimais, moi aussi, comme ma propre mère. Durant ma maladie qui terrifiait mes parents, mes voisins et mes proches amis, ma tante qui n'habitait pas trop loin de moi, m'a visité à toutes les heures du jour et de la nuit. Il semble qu'au soir, elle n'a pas même eu soin de jeter un regard sur l'horloge. Assez souvent, elle était venue soit à minuit, une heure, deux heures, trois heures du matin, etc. Un jour, elle venait rencontrer mon père à trois heures du matin et lui dit: "Magot (surnom familial de mon père), ne vois-tu pas qu'on cherche à enlever Momo (mon surnom familial) de tes mains?(parlant des malfaiteurs)" N'oublie pas", a-t-elle ajouté, "Que tu as un seul garçon qui, par son respect, son intelligence et ses progrès, a déjà fait l'honneur de la famille. Je te conseille d'aller visiter un devin pour sauver 'Momo' et je suis décidée de t'accompagner".

Pourriez-vous le croire? Durant cette conversation émouvante et effrayante, ils pensaient que je dormais; pourtant j'étais en plein réveil et dans une douleur atroce. Incroyable, mais vrai, l'Éternel m'a donné le courage de garder le silence durant toute la conversation. Maintenant, après le départ de ma tante, j'ai appelé mon père et je lui ai dit: 'Magot ou papa', j'ai entendu tout ce qui a été dit. Je sais que ma tante m'aime beaucoup, mais elle n'est pas chrétienne. 'Magot', écoute ton fils qui t'aime et qui t'honore. N'écoute pas ma tante et ne va pas consulter de medium pour moi. Car l'Éternel, mon

Dieu, a le pouvoir de me guérir, et je continuais: si tu ne m'écoutes pas et que tu ailles consulter un devin pour moi, je vais mourir et j'irai tout droit vers mon Père céleste, et toi, tu me perdras pour jamais.

À ma grande surprise, mon père m'a embrassé avec les deux bras autour de mon coup et m'a dit, avec l'humilité d'un enfant et avec des ruisseaux de pleurs sur son visage: "Mon fils, qu'il soit fait selon ta volonté". Je te garantis que je vais remettre ta maladie entre les bras du grand Maître". J'ai écrié: Alléluia! Et nous nous embrassions de nouveau avec des larmes de joie.

Au soir, ô merveille, l'ange de l'Éternel s'approchait auprès de moi et m'a dit: "Tu es guéri". Pourtant, le lendemain je devenais plus grave et tellement grave que je ne pouvais pas me tenir debout. On se dépêchait avec moi à l'hôpital Bon Samaritain du Limbé. En y arrivant, toutes les chambres étaient déjà occupées. Les docteurs et les infirmières m'ont consulté et m'ont renvoyé à la maison, comme pour dire: "Le cas est déjà perdu". Arrivé à la maison, mes parents pleuraient à rendre l'âme, comme si j'étais déjà mort. Au milieu de ma désolation et dans ma souffrance amère, j'étais convaincu que mon Dieu m'a déjà guéri.

J'ai cru aveuglement en sa grande fidélité et ses promesses irrévocables. J'ai appelé mon père et je lui ai dit: console-toi 'Magot'(papa), et va dire aux autres de se consoler. Car l'ange de l'Éternel s'était apparu à moi et m'a dit que j'étais guéri. Et, mon père de répondre, encore comme un enfant: "Oké, mon fils", en secouant la tête en signe d'obéissance, à la pensée que j'ai essayé d'utiliser un moyen quelconque de le consoler. Mais son désespoir était plus fort que son obéissance. En d'autres termes, il était forcé d'obéir, puisque la grande inquiétude s'était vue clairement sur son visage.

Le lendemain, à l'aube du matin, je sentais une force circuler au-dedans de moi. Je me levais et me tenais sur mes deux pieds. Depuis lors, j'étais complètement guéri. Je veux réitérer à tous les chrétiens, et à mes lecteurs que, lorsque les scientistes et les spécialistes lamentent: "Point final"; l'Éternel les contredit avec ce: "Point à la ligne".

Voilà pourquoi je suis comme je suis: humble serviteur de Dieu, et je veux l'être toute ma vie.

Voilà pourquoi je suis comme je suis: aimant Dieu et pressé par son amour.

Voilà pourquoi je suis comme je suis: compatissant, et cherchant toujours à aider les pauvres et les déshérités du sort.

Qui ne le serait, après avoir fait connaissance avec un Dieu si grand, si riche en bonté et en miséricorde?

Qui ne le serait, après avoir appris qu'un Jésus si puissant, ce 'Dieu fait homme' et 'Dieu avec nous', ait pris naissance dans la demeure des animaux, appelée étable; lui qui a créé le ciel et la terre avec tout ce qu'ils renferment, et plus tard, a accepté une mort ignominieuse, une mort honteuse, pour payer le prix de mes péchés, de mes iniquités? C'est ce qu'il a dit, par la plume du prophète Esaie, dans **Esaie 53:5** :
"Il était blessé pour nos péchés,
Brisé pour nos iniquités;
Le châtiment qui nous donne la paix est tombé sur lui,
Et c'est par ses meurtrissures que nous sommes guéris ".

5) Parmi les mille et une actions qu'il m'a accordées la grâce de réaliser pour glorifier son nom, je me rappelle qu'en Mars 1979, je me rendais dans un restaurant et je mangeais à satiété. Ce restaurant a été placé au coin d'une place publique. Après ce repas copieux, je me dirigeais vers la place publique pour la sieste. Là, j'ai vu plusieurs pauvres, mourant de faim; demandant l'aumône avec un air et un ton dépourvus de tout espoir de vivre. Leur visage était angoissé, faisant penser que la vie n'existait pas pour eux. À l'instant, mon coeur était touché de compassion. J'ai entendu une voix, me disant: "Que fais-tu de penser, de réfléchir et d'extérioriser de la compassion? Ton ventre est rempli et ta poche a un surplis d'argent, n'est-ce pas? Nourris-les! Car eux aussi, ils sont mes enfants, créés à mon image et à ma ressemblance.

J'ai tout de suite passé à l'action, avec un visage mouillé de pleurs de compassion. J'avais assez dans ma poche pour leur donner de quoi à acheter une tasse de pistache et un morceau de cassave. Après cela, chaque fois je devais aller au restaurant, j'ai pris un pauvre avec moi et nous mangions sur la même table. Aussi, je les visitais de temps en temps et devenais leur ami.

J'ai mis ce témoignage à jour, pour rappeler aux privilégiés, que leurs privilèges viennent de Dieu, et qu'ils ne doivent pas fermer leurs yeux et leur coeur aux affamés et aux infortunés.

Les souhaits de bénédictions reçues de ces pauvres étaient assez nombreux et sincères pour me donner une vie longue et prolongée.

Satan, jaloux des dons et des bénédictions reçus de Dieu, a livré une guerre sans merci contre moi, pour m'exterminer et me tenir misérable, par des pertes énormes, des calamités et des afflictions de toutes sorte. Mais, qui peut fermer les écluses des cieux aux serviteurs choisis de Dieu, qui luttent à genou pour faire sa volonté? Le Dieu fidèle et miséricordieux, m'a assuré: "Moi, l'Éternel, j'ouvrirai les écluses des cieux, et je te bénirai à profusion, afin de proclamer mon nom, et continuer cette œuvre de bienfaisance, à laquelle je vous ai appelé et qui est si agréable mes yeux".

Doté d'une intelligence venue de Dieu et instruit par l'un des éminents directeurs des écoles primaires, maître Marcel Toussaint, j'étais le plus brillant de mes camarades de classe. Profitant de cette instruction bien faite, j'étais lauréat, après les examens de fin d'études primaires sur toutes les écoles rurales. Je n'étais pas, moi-même, au courant de ces lauriers; car j'étais à la campagne et n'avais aucun accès à la radio. Mais Dieu, qui sait choisir les humbles, les plus désespérés, pour faire d'eux des serviteurs de confiance et les placer parmi les grands et même en tête des grands, m'a suscité un cousin de bon coeur, Directeur Wilson Saintilus, homme de renom et de grand savoir. Il était l'un des premiers-nés de ma génération et portait un grand intérêt au développement intellectuel d'un grand nombre de jeunes, spécialement, ses parents.

Il était le premier à entendre de mes succès, aux examens officiels du certificat d'études primaires. En dépit de ce grand succès, et la bonne volonté de mon père, il n'était pas assez fortuné pour m'envoyer même au bourg du Limbé, dirait-on à la grande ville du Cap-Haitien ou Port-au-Prince, la capitale d'Haïti.

Mais, Dieu qui a déjà tout planifié pour moi dès avant les examens, a choisi un cousin de bon coeur qui devint comme un frère, pour s'occuper de mes études secondaires. Ce qui me serait impossible sans lui. En effet, il aimait beaucoup ses proches parents. Malgré tout, lui et moi n'avions pas réellement une relation étroite, vu qu'il était citadin, et moi, campagnard. De plus, il était mon ainé de plusieurs années, neuf ans pour être plus précis. Pourtant, avec pompe de joie, il m'a envoyé chercher de la campagne, pour entrer au Cap-Haitien, la grande ville du Nord. Là, il a pris la responsabilité de mes études secondaires et m'a inscrit, sans retard, au Lycée Philippe Guerrier du Cap-Haitien, où j'ai participé aux examens d'admission et réussi sans tracas. Là aussi, nous avons vécu ensemble pour de nombreuses années dans une bonne relation fraternelle. À mon Dieu, ma vie est dédiée et à mon cousin, ma reconnaissance n'aura pas de fin.

6) Maintenant le moment de grand intérêt est arrivé. C'est le moment de prêter plus d'attention, car je vais présenter le tableau du premier grand miracle que l'Éternel a réalisé dans ma vie, non pas par révélation ou vision, mais au réveil ou à l'œil nu.

Commençons donc! D'accord! Allons!

Samedi 22 Avril 1972, pendant que je vivais avec Directeur Wilson Saintilus au Cap-Haitien, il m'a confié un billet de $20.00 américain pour lui faire certains achats. Car il m'a fait beaucoup de confiance.

Vingt dollars américain, en ce temps-là, avaient une grande valeur. En tant que jeune, je me sentais honoré et j'ai placé ce billet au fond de ma poche. De ma maison au magasin, je devais parcourir une distance de vingt kilomètres à pied. En y arrivant et avant de commencer les achats, je pénétrais ma main dans ma poche, pour être sûr que l'argent était prêt.

Ô malheur, ma poche était vide et ces vingt dollars étaient disparus! J'ai fouillé ma poche avec fracas et folle inquiétude, point d'argent! Je n'ai pas besoin de décrire le trouble de mon coeur, en cette fâcheuse circonstance.

Qu'on n'oublie pas que je devais parcourir une distance de quinze minutes pour retourner à la maison, et le chemin du retour était parsemé de passants. Quiconque aurait vu ce billet de $20.00, serait empressé de l'enlever secrètement. Ce serait pour cette personne une aubaine tombée du ciel. Je retournais, à toute haleine en versant des pleurs et des cris de détresse, sans aucun espoir de retrouver cet argent. J'étais un adolescent honnête, muni de sens de responsabilité. J'ai lamenté: Éternel, mon Dieu, toi seul tu connais mon coeur. Tu sais que les $20.00 se sont disparus, mais le reste du monde me prendra pour menteur et voleur. Sauve-moi de ma détresse, ô Éternel, mon Dieu, et donne-moi ces $20.00, à cause de ta fidélité et de ta grande miséricorde.

Après quinze minutes de course, à toute haleine, désespéré et mouillé de sueurs, derrière une caserne, non loin de ma demeure, quelque chose m'a frappé sur ma poitrine. À première vue, je pensais que c'était un papillon ou une feuille sèche d'arbre que le vent a emporté. J'ai baissé la tête et j'ai regardé craintivement. Ô bonheur, le billet de $20.00 était plaquée sur ma poitrine. Je me jetais à genou pour exclamer: Dieu infiniment bon et omniprésent, qui peut comme toi, sauver un malheureux comme moi de cette détresse et je veux te servir toute ma vie.

7) Le dimanche 12 janvier 1964, était le jour le plus heureux de ma vie. C'était le jour où j'ai été admis officiellement parmi les choisis de Dieu. Ce Dimanche à une heure de l'après-midi, pendant que je dormais seul sous la fraicheur des arbres, dans un lieu de repos familial quelques pas de la maison, quelqu'un à la majesté d'un ange, apparut à mon chevet et m'a dit: "L'Eternel t'a choisi parmi les tiens et tu lui appartiens". Au réveil, j'ai dansé, j'ai sauté de joie devant le Dieu incroyablement saint, incroyablement bon, et j'ai poussé de grands cris d'allégresse, avec ces paroles: Merci Seigneur! Merci Seigneur, indigne que je suis, tu m'as choisi parmi tes enfants bien-aimés. J'étais un

enfant, car alors, j'avais seulement onze ans.

Un an après, j'ai commencé à prêcher l'évangile. Satan qui était jaloux de l'honneur que j'ai reçu du Dieu très haut, a envoyé ses émissaires pour m'exterminer, et le Tout-Puissant qui veillait sur moi, était venu sur le champ me secourir. Car le samedi 22 Janvier 1965, pendant que je dormais, je voyais un groupe de soldats courir après moi pour m'ôter la vie. Je me dépêchais hâtivement. Arrivé au milieu d'un buisson, rempli du Saint-Esprit, je me tenais debout comme un guerrier puissant, invincible et dissipé de toute crainte. En un clin d'œil, j'étais entouré de ces soldats furieux qui portaient chacun des armes meurtrières autour de leurs reins, et dont le leader ressemblait à Goliath. Moi, je n'avais absolument rien dans la main.

Pendant qu'ils allaient lever les armes pour me frapper, j'ai entendu une voix qui me dit: "Baisse la tête et utilise ce que tu vois". J'ai baissé la tête et j'ai vu un petit canif, gisant à côté de mes pieds. Je l'ai saisi et j'ai taillé tous les soldats en pièces y inclus leur géant Goliath. J'ai dit, à la fin: l'Éternel, tu m'as réellement choisi et tu m'as armé de puissance. Mes lèvres te glorifieront pour toujours.

C'est une réalité indubitable que l'Éternel manifeste sa puissance en sommeil et en réveil pour protéger ses serviteurs qui l'aiment et qui le cherchent de tout leur coeur. Je suis l'un des exemples le plus frappant. Il a placé en moi une résistance surnaturelle contre les tactiques décevantes du diable pour m'enlever de son amour et de sa protection. Il m'a frappé de mille flèches mortelles. Pourtant, mon amour pour mon Dieu n'a fait qu'augmenter, et cela, depuis ma tendre enfance, parce que l'Éternel a déjà implanté dans mon cœur qu'il est tout-puissant et qu'il peut réduire à néant toutes les flèches enflammées du diable pour protéger ses enfants.

La vision, que tout le monde vive dans l'amour, le respect et la protection mutuels, s'est enflammée dans mon coeur comme une torche, comme un feu dévorant, et avec le passage du temps, cette vision n'a fait qu'élargir. Malgré toutes les trahisons des frères que j'ai si tendrement aimés: jeunes, adultes, vieillards, au sein de l'église dont je suis le fondateur, les églises amies, et même mes confidents; je ne puis m'empêcher de les pardonner, de les aimer et de penser à leur bien-être. Je veux la repentance, mais non la vengeance; je veux la paix, mais non la guerre; je veux l'amour, mais non la haine, et la bénédiction de Dieu pour tous les chrétiens. C'est pourquoi, il m'a affermi par des révélations divines, par des visions et par sa propre présence. Pour ce fait, je dédie ma vie, pour écrire et raconter ses merveilles à tous ceux-là qui veulent en bénéficier.

LE PANORAMA DE DEUX FAMILLES UNIES

La famille Saintilus et la famille Bélizaire vivaient comme une seule Famille, bien qu'elles ont vécu dans leur demeure respective. Les deux demeures étaient à quelques pas l'une de l'autre. La famille Saintilus avaient pour aïeux: Fadéus et Talicia Saintilus et la famille Bélizaire: Danus et Nélia Bélizaire. Soeur Nelia, alias 'Tante Née" était ma mentoresse spirituelle. La vie de trois jeunes dans ces familles et la providence de Dieu, enseigneront à tout coeur humble, la difference entre ceux-là qui cherchent la présence de Dieu de tout coeur et ceux-là qui refusent de lui donner leur coeur. Les trois jeunes sont les suivants: Brunice Bélizaire, Moralès Saintilus et Bernadin Bélizaire.

Brunice était mon ainé et j'étais l'ainé de Bernadin. Nous étions comme trois frères. Brunice était un peu égocentrique. Il aimait sa famille. Mais, il n'avait pas la capacité de l'extérioriser, spécialement à son père qui me rapportait des complaintes contre lui y concernant. Il était très intelligent. Nous avons grandi ensemble durant une grande partie de notre vie, mais nous n'étions jamais deux amis attachés. D'ailleurs, sa maman avait trois garçons. Mais, pour une raison ou une autre, les deux garçons les plus choyés étaient : Bernardin Bélizaire et Brunice Bélizaire, qu'elle traitait comme deux princes. J'étais plus jeune que Brunice et je n'avais pas joui ce privilège dont il jouissait. Car mes parents étaient très humbles et avaient peu de ressources.

'Tante Née' était une servante fervente de Dieu et une commerçante réussie, respectée par toute la communauté. Brunice et Bernardin étaient comme la prunelle de ses yeux, bien qu'elle avait eu d'autres enfants.

Brunice devint un éminent professeur et faisait peu de cas aux choses de Dieu. Bernardin a choisi le Dieu de sa mère et l'a servi avec zèle. Qu'on se rappelle que c'est cette 'Tante Née' que Dieu a choisie pour être ma mentororesse spirituelle et, à cause de son amour pour Dieu et pour moi, je devenais esclave de Jésus-Christ et, j'ai consacré mon corps, mon coeur et mon âme tout entiers à servir mon Dieu. Cette dame chrétienne, Nélia Bélizaire, dite 'Tante Née', restera dans mon coeur comme un dessein indélébile, le reste de ma vie. Brunice a été frappé plusieurs fois par des flèches brulantes du malin. Sa maman et ses associés priaient avec instance et il était guéri. Car Dieu a accepté leurs requêtes et il était venu à leur secours.

Malgré tout, il ne s'était jamais adonné à Dieu de tout coeur. Je lui ai dit, en maintes circonstances: Brunice, mon ami et mon frère, c'est l'heure de te donner à Christ sincèrement. Ne sois pas entêté. Tu as chez toi, un trésor spirituel, ta maman, cette femme fidèle et dévouéeà son Dieu. Tu as été plusieurs fois visité par la mort, mais Dieu a entendu sa prière. Ne compte pas seulement aux prières de ta maman. Car chacun rendra compte individuellement devant le tribunal de Dieu. Rappelle-toi que Jean-Baptiste a repris les Pharisiens et les Sadducéens qui, en venant à son baptême, portaient une couverture spirituelle, mais au-dedans, ils étaient des tombeaux blanchis, des loups ravisseurs. Il leur avertit de produire des fruits dignes de la repentance, au lieu de prétendre qu'à cause d'Abraham, leur père et l'ami de Dieu, quelque soit leur état de péché, ils seront toujours protégés par la main divine. Dieu n'est pas seulement un Dieu de miséricorde, mais aussi un Dieu de colère et un feu dévorant. Quand il punit la terre tremble et les impénitents se lamentent. Brunice a encore fait sourde oreille à mes Conseils. Bernadin et moi, nous aussi, nous avons été frappés, plusieurs fois, par les flèches brûlantes de Satan, mais nous avons répété ensemble: nous ne mourrons pas, nous vivrons et nous raconterons la gloire de l'Éternel. Ô grâces infinies! Ô fidélité de Dieu! Bernardin et moi, tous les deux nous sommes devenus pasteurs et oints de l'Éternel.

Mais, Ô tristesse, ô regret ! Mon ami et mon frère Brunice Belizaire a été frappé d'une dernière maladie qui l'a emporté à l'au-delà, avec toute l'amalgame de ses connaissances et à un très jeune âge ou un âge prématuré. Quelles leçons pour les incrédules! Cependant, il n'est pas encore trop tard. Dieu, dans sa grande miséricorde tend, donc, les deux mains de berger, en écriant:

> "*Reviens vers le vert pâturage, vers les eaux paisibles.*
> *Aujourd'hui est le jour du salut;*
> *aujourd'hui est le jour de grâce!*".

CHAPITRE 12
Tributs Et Reconnaissances

Après avoir passé en revue toutes les merveilles de l'Éternel dans ma vie, je m'étais plongé dans le labyrinthe d'une profonde reconnaissance et j'ai exclamé bien fort: Seigneur, mon Dieu, fais-moi la grâce d'ajouter mon cantique de reconnaissance à ceux de tes saints serviteurs, entre autres: Moïse, Debora, Anne, Marie, Zacharie, David.

MOÏSE

Considérant son salut des eaux, dans le panier protecteur; sa position comme prince du pays d'Égypte; son bâton puissant; les dix plaies; témoins oculaire du résultat de sa foi immaculée par la séparation de la mer rouge en murailles d'eau à droite et à gauche, où le people d'Israël traversa à pieds secs et à bras étendus, et le retour des eaux pour terrifier Pharaon et engloutir ses cavaliers, ses chars qui poursuivaient farouchement le peuple de Dieu, Moïse a présenté ce cantique de reconnaissance, prêt à s'éclater de son cœur:

CANTIQUE DE MOÏSE

Je chanterai à l'Éternel, car il a fait éclater sa gloire;
Il a précipité dans la mer le cheval et son cavalier.
L'Éternel est ma force et le sujet de mes louanges;
C'est lui qui m'a sauvé.
Il est mon Dieu: je le célèbrerai;
Il est le Dieu de mon père: je l'exalterai.

L'Éternel est un vaillant guerrier;
L'Éternel est son nom.
Il a lancé dans la mer les chars de Pharaon et son armée;
Ses combattants d'élite ont été engloutis dans la mer Rouge.
Les flots les ont couverts:
Ils sont descendus au fond des eaux, comme une pierre.
Ta droite, ô Eternel! a signalé sa force;
Ta droite, ô Éternel! a écrasé l'ennemi.
Par la grandeur de ta majesté
Tu renverses tes adversaires;
Tu déchaînes ta colère:
Elle les consume comme du chaume.
Au souffle de tes narines, les eaux se sont amoncelées,
Les courants se sont dressés comme une muraille,
Les flots se sont durcis au milieu de la mer.

L'ennemi disait:
Je poursuivrai, j'atteindrai,
Je partagerai le butin;
Ma vengeance sera assouvie,
Je tirerai l'épée, ma main les détruira.
Tu as soufflé de ton haleine:
La mer les a couverts;
Ils se sont enfoncés comme du plomb,

Dans la profondeur des eaux.
Qui est comme toi parmi les dieux, ô Éternel?

Qui est comme toi magnifique en sainteté,
Digne de louanges,
Opérant des prodiges?
Tu as étendu ta droite:
 La terre les a engloutis.
Par ta miséricorde tu as conduit,
Tu as délivré ce peuple;
Par ta puissance tu le diriges
Vers la demeure de ta sainteté.

Les peuples l'apprennent, et ils tremblent:
La terreur s'empare des Philistins;
Les chefs d'Édom s'épouvantent;
Un tremblement saisit les guerriers de Moab;
Tous les habitants de Canaan tombent en défaillance.
La crainte et la frayeur les surprendront;
Par la grandeur de ton bras
Ils deviendront muets comme une pierre,

Jusqu'à ce que ton peuple soit passé, ô Eternel!
Jusqu'à ce qu'il soit passé, Le peuple que tu as acquis.

Tu les amèneras et tu les établiras sur la montagne de ton héritage,
Au lieu que tu as préparé pour ta demeure, ô Éternel!
Au sanctuaire, Seigneur!
Que tes mains ont fondé.
L'Eternel régnera éternellement et à toujours.
Car les chevaux de Pharaon,
Ses chars et ses cavaliers sont entrés dans la mer,
Et l'Éternel a ramené sur eux les eaux de la mer;
Mais les enfants d'Israël ont marché à sec au milieu de la mer.

DÉBORAH

Déborah était prophétesse et juge en Israël. L'Éternel se servait d'elle pour exterminer Jabin, roi des Cananéens, et Sisera, chef de son armée, et leurs acolytes qui, avec leurs neuf cents chars de fer, opprimèrent, avec violence, les enfants d'Israël depuis vingt ans.

L'Israélite Barak, intrépide guerrier, sur l'ordre de Déborah, marcha contre Jabin et Sisera, oppresseurs des enfants d'Israël. Déborah s'adressa ainsi à Barak: "N'est-ce pas l'ordre qu'a donné l'Éternel? Va, dirige-toi sur le mont Tabor, et prends avec toi dix mille hommes des enfants de Nephtali et des habitants de Zabulon. J'attirera vers toi, au torrent de Kison, Sisera, chef de l'armée de Jabin, avec ses chars et ses troupes et je le livrerai entre tes mains". Et, à la suite de dix mille hommes, l'Éternel mit en déroute devant Barak, par le tranchant de l'épée, Sisera, tous ses chars et tout le champ, sans épargner Jabin, leur roi.

Après cette éclatante victoire réalisée, par la puissance de la droite de l'Éternel, Déborah a laissé couler de son coeur des flots de reconnaissance par un cantique qui a rempli son coeur à déborder.

CANTIQUE DE DÉBORA JUGES: 5:1-31

Rois, écoutez! Princes, prêtez l'oreille!
Je chanterai, oui, je chanterai à l'Éternel,
Je chanterai à l'Éternel, le Dieu d'Israël.

Ô Éternel! Quand tu sortis de Séir,
Quand tu t'avanças des champs d'Édom,
La terre trembla, et les cieux se fondirent
 Et les nuées se fondirent en eaux;

Les montagnes s'ébranlèrent devant l'Eternel,
Ce Sinaï devant l'Éternel, le Dieu d'Israël.
Au temps de Schamgar, fils d'Anath,
Au temps de Jaël, les routes étaient abandonnées,
Et ceux qui voyageaient prenaient des chemins détournés.

Les chefs étaient sans force en Israël, sans force,
Quand je me suis levée, moi, Débora,
Quand je me suis levée comme une mère en Israël.

Il avait choisi de nouveaux dieux:
Alors la guerre était aux portes;
On ne voyait ni bouclier ni lance
Chez quarante milliers en Israël.

Mon coeur est aux chefs d'Israël,
À ceux du peuple qui se sont montrés prêts à combattre.
Bénissez l'Eternel!
Vous qui montez de blanches ânesses,

Vous qui avez pour sièges des tapis,
Et vous qui marchez sur la route, chantez!
Que de leur voix les archers, du milieu des abreuvoirs,
Célèbrent les bienfaits de l'Éternel,

Les bienfaits de son conducteur en Israël!
Alors le peuple de l'Éternel descendit aux portes.
Réveille-toi, réveille-toi, Débora!
Réveille-toi, réveille-toi, dis un cantique!

Lève-toi, Barak, et emmène tes captifs, fils d'Abinoam!
Alors un reste du peuple triompha des puissants,
L'Éternel me donna la victoire sur les héros.
D'Ephraïm arrivèrent les habitants d'Amalek.

À ta suite marcha Benjamin parmi ta troupe.
De Makir vinrent des chefs,
Et de Zabulon des commandants.
Les princes d'Issacar furent avec Débora,

Et Issacar suivit Barak,
Il fut envoyé sur ses pas dans la vallée.

Près des ruisseaux de Ruben,
Grandes furent les résolutions du coeur!

Pourquoi es-tu resté au milieu des étables
A écouter le bêlement des troupeaux?
Aux ruisseaux de Ruben,
Grandes furent les délibérations du coeur!

Galaad au delà du Jourdain n'a pas quitté sa demeure.
Pourquoi Dan s'est-il tenu sur les navires?
Aser s'est assis surle rivage de la mer,
Et s'est reposé dans ses ports.

Zabulon est un peuple qui affronta la mort,
Et Nephtali de même,
Sur les hauteurs des champs.

Les rois vinrent, ils combattirent,
Alors combattirent les rois de Canaan,
A Thaanac, aux eaux de Meguiddo;
Ils ne remportèrent nul butin, nul argent.
Des cieux on combattit,

De leurs sentiers les étoiles combattirent contre Sisera.
Le torrent de Kison les a entraînés,
Le torrent des anciens temps, le torrent de Kison.

Mon âme, foule aux pieds les héros!

Alors les talons des chevaux retentirent,
A la fuite, à la fuite précipitée de leurs guerrie
Maudissez Méroz, dit l'ange de l'Eternel,
Maudissez, maudissez ses habitants,

Car ils ne vinrent pas au secours de l'Éternel,
Au secours de l'Éternel, parmi les hommes vaillants.
Bénie soit entre les femmes Jaël,

Femme de Héber, le Kénien!
Bénie soit-elle entre les femmes
qui habitent sous les tentes!
Il demanda de l'eau, elle a donné du lait,
Dans la coupe d'honneur elle a présenté de la crème.

D'une main elle a saisi le pieu,
Et de sa droite le marteau des travailleurs;
Elle a frappé Sisera, lui a fendu la tête,
Fracassé et transpercé la tempe.

Aux pieds de Jaël il s'est affaissé,
Il est tombé, il s'est couché;
À ses pieds il s'est affaissé, il est tombé;
Là où il s'est affaissé, là il est tombé sans vie.

Par la fenêtre, à travers le treillis,
La mère de Sisera regarde, et s'écrie:
Pourquoi son char tarde-t-il à venir?
Pourquoi ses chars vont-ils si lentement?

Les plus sages d'entre ses femmes lui répondent,
Et elle se répond à elle-même:
Ne trouvent-ils pas du butin? ne le partagent-ils pas?
Une jeune fille, deux jeunes filles par homme,

Du butin en vêtements de couleur pour Sisera,
Du butin en vêtements de couleur, brodés,
Un vêtement de couleur, deux vêtements brodés,
Pour le cou du vainqueur.

Périssent ainsi tous tes ennemis, ô Éternel!
Ceux qui l'aiment sont comme le soleil,
Quand il paraît dans sa force.
Le pays fut en repos pendant quarante ans.

ANNE

La bible nous parle d'un homme pieux et craignant Dieu. Il s'appelait Elkana. Il avait deux femmes: Anne et Penina. Cela était permis à cette époque, mais jamais une bénédiction pour la famille et même les enfants. Anne était sa femme de prédilection, sa favorite. Elle ne pouvait pas enfanter parce que l'Eternel l'a rendue stérile. Penina, sa rivale lui prodiguait des mortifications. Elle se moquait d'elle; elle l'insultait; elle lui a passé sans cesse en dérision, parce que l'Éternel l'a bénie avec plusieurs enfants, alors qu'Anne était stérile. Cette moquerie durait des années.

Ne pouvant plus supporter les intrigues de Penina, ni l'opprobre de la stérilité, Anne se fondit en larmes aux pieds de l'Éternel. Elle ne faisait que pleurer sans manger ni boire en présence de son Dieu, riche en bonté et en miséricorde.

Au cours d'une prière fervente, embellie de ruisseaux de larmes sincères, elle fit un vœux à l'Éternel en disant: "Si tu daignes regarder l'affliction de ta servante, si tu te souviens de moi et n'oublie pas ta servante, et si tu donnes à ta servante un fils je le consacrerai à toi pour le reste de sa vie".

Ô compassion infinie! Au cours de la même année, l'Éternel a béni les entrailles d'Anne qui devint enceinte et enfanta un fils. Ce petit garçon qu'elle appela Samuel, devint le juge le plus grand et le plus fidèle d'Israël.

Comme l'Éternel a témoigné sa fidélité envers elle ; en retour, elle a témoigné sa fidélité et sa reconnaissance envers le Saint d'Israël, le Dieu suprême, et a fait comme elle a promis: Anne a prêté Samuel l'Éternel.

N'ayant pas été satisfaite de sa promesse tenue et de ses actes de reconnaissance face à la perfection de l'amour, de la compassion et de la fidélité de Dieu, elle présenta ce cantique qui s'éclata de son coeur et remplit son être tout entier :

CANTIQUE D'ANNE: 1 SAMUEL 2:1-10

Mon coeur se réjouit en l'Éternel,
Ma force a été relevée par l'Éternel;
Ma bouche s'est ouverte contre mes ennemis,
Car je me réjouis de ton secours.

Nul n'est saint comme l'Éternel;
Il n'y a point d'autre Dieu que toi;
Il n'y a point de rocher comme notre Dieu.

Ne parlez plus avec tant de hauteur;
Que l'arrogance ne sorte plus de votre bouche;
Car l'Éternel est un Dieu qui sait tout,
Et par lui sont pesées toutes les actions.

L'arc des puissants est brisé,
Et les faibles ont la force pour ceinture.
Ceux qui étaient rassasiés se louent pour du pain,
Et ceux qui étaient affamés se reposent;
Même la stérile enfante sept fois,

Et celle qui avait beaucoup d'enfants est flétrie.
L'Éternel fait mourir et il fait vivre.
Il fait descendre au séjour des morts et il en fait remonter.

L'Éternel appauvrit et il enrichit,
Il abaisse et il élève.
De la poussière il retire le pauvre,
Du fumier il relève l'indigent,

Pour les faire asseoir avec les grands.
Et il leur donne en partage un trône de gloire;
Car à l'Éternel sont les colonnes de la terre,
Et c'est sur elles qu'il a posé le monde.

Il gardera les pas de ses bien-aimés.
Mais les méchants seront anéantis dans les ténèbres;
Car l'homme ne triomphera point par la force.
Les ennemis de l'Éternel trembleront;

Du haut des cieux il lancera sur eux son tonnerre;
L'Éternel jugera les extrémités de la terre.
Il donnera la puissance à son roi,
Et il relèvera la force de son oint.

MARIE, MÈRE DE JÉSUS

La vierge Marie était la plus bénie parmi les femmes, par la seule grâce d'être la mère de Jésus, qui, étant Dieu lui-même, a pris la forme de chair ou la forme humaine dans ses entrailles pour venir et sauver ceux qui était perdus: les riches et les pauvres, les savants et les ignorants, les forts et les faibles. Elle a reçu la visite de l'ange Gabriel qui lui dit: "Je te salue, toi, à qui une grâce a été faite".

Marie commençait à être troublée. Car une telle visite et une telle salutation dépassaient sa compréhension. C'était vraiment pour elle un veritable cauchemar. Et, l'ange de continuer: tu deviendras enceinte et tu enfanteras un fils, il sera grand et sera appelé Fils du Très-Haut et le Seigneur-Dieu lui donnera le trône de David, son père. Il régnera sur la maison de Jacob éternellement et son règne n'aura pas de fin. (**Luc 1:32,33**)

Marie était une vierge de grande foi. Mais, le mystère de la visite de l'ange Gabriel et son message lui suscitaient un cauchemar qui, à juste titre, avait paralysé ou limité sa foi et lui a poussé à poser cette question:" Comment cela se pourrait-il, puisque je suis vierge".

L'ange lui répondit qu'elle concevra par la puissance de l'Esprit de Dieu. C'est pourquoi, continue l'ange: "Le saint Enfant qui naîtra de toi sera appelé Fils de Dieu". (**Luc 1:35**)

C'est alors que les portes de sa foi étaient ouvertes et la lumière du Saint-Esprit illuminait son coeur. Elle acceptait maintenant avec une foi plus ferme et avec une humilité sans précédente, l'honneur et la grâce que Dieu allait mystérieusement lui conférer. L'ange lui informa, de plus, qu'Élizabeth, sa parente enfantera aussi un fils. Une autre joie s'ajoutait à sa joie déjà débordante.

Sans perdre de temps, Marie s'empressait de se rendre chez Elizabeth, certainement pour lui annoncer cette double et joyeuse nouvelle. En y arrivant, elle salua Élizabeth qui sentit son enfant tressaillir dans son sein. Remplie du Saint-Esprit, elle s'écria d'une voix forte: "Tu es bénie entre les femmes, et le fruit de ton sein est béni".

Reconnaissant de l'honneur spécial que Dieu lui a accordé dans toute son indignité, Elizabeth s'écria: "Comment m'est-il accordé que la mère de mon Seigneur vienne auprès de moi? Car voici, aussitôt que la voix de ta salutation a frappé mon oreille, l'enfant a tressailli d'allégresse dans mon sein. Heureuse celle qui a cru, parce que les choses qui lui ont été dites de la part du Seigneur auront leur accomplissement".

Marie, considérant la grâce imméritée que le Dieu vivant lui a faite, glorifia son saint nom par un cantique qui a vidé tout le contenu de son coeur à ses pieds:

CANTIQUE DE MARIE LUC 1:46-55

Mon âme exalte le Seigneur,
Et mon esprit se réjouit en Dieu, mon Sauveur,
 Parce qu'il a jeté les yeux sur la bassesse de sa servante.
Car voici, désormais toutes les générations me diront
Bienheureuse,
Parce que le Tout Puissant a fait pour moi de grandes choses.

Son nom est saint,
Et sa miséricorde s'étend d'âge en âge
Sur ceux qui le craignent.
Il a déployé la force de son bras;

Il a dispersé ceux qui avaient dans le coeur des pensées
Orgueilleuses.

Il a renversé les puissants de leurs trônes,
Et il a élevé les humbles.
Il a rassasié de biens les affamés,
Et il a renvoyé les riches à vide.

Il a secouru Israël, son serviteur,
Et il s'est souvenu de sa miséricorde, -
Comme il l'avait dit à nos pères,
Envers Abraham et sa postérité pour toujours.

ZACHARIE

Zacharie fut un sacrificateur de Judée. Sa femme s'appelait Élizabeth. Tous deux craignaient l'Éternel et obéissait impeccablement à ses commandements et à ses ordonnances. Ils n'avaient point d'enfants parce que l'Éternel a rendu Élizabeth stérile. Ils étaient l'un et l'autre avancés en âge. Pendant que Zacharie s'acquittait fidèlement de sa tâche de sacrificateur dans le temple, l'ange Gabriel lui apparut et se tint à droite de l'autel des parfums, lieu où les sacrificateurs présentent leurs sacrifices à l'Éternel. Zacharie fut troublé en le voyant et la frayeur s'empara de lui. Mais, l'ange lui assura: "Ne crains point Zacharie. Car ta prière a été exaucée. Ta femme Élizabeth qui est âgée et stérile, t'enfantera un fils et tu lui donneras le nom de Jean.

Il sera pour toi un sujet de joie et d'allégresse, et plusieurs se réjouiront de sa naissance. Car il sera grand devant Dieu et il sera rempli du Saint-Esprit dès le sein de sa mère. Il ramènera plusieurs des fils d'Israël au Seigneur, leur Dieu; il marchera devant Dieu avec l'esprit et la puissance d'Élie pour ramener les rebelles à la sagesse des justes afin de préparer un peuple bien disposé": Zacharie répliqua à l'ange: "A quoi le reconnaitrai-je? Car je suis vieux et ma femme est avancée en âge". Puisque Zacharie a douté, l'ange lui répondit:
"Je suis Gabriel, je me tiens devant toi. J'ai été envoyé pour te parler

et pour t'annoncer cette bonne nouvelle. Et voici, tu seras muet, tu ne pourras parler jusqu'au jour ou ces choses arriveront, parce que tu n'as pas cru à mes paroles qui s'accompliront en leurs temps".

Toute de suite après la sentence de l'ange, Zacharie devint muet. Quelque temps après, Élizabeth devint enceinte et lorsque le temps de sa couche fut arrivé, elle donnera naissance à son enfant. Ses voisins et ses parents qui apprirent que le Seigneur a usé de sa miséricorde envers elle, se réjouirent avec elle.

Le huitième jour, ils vinrent pour circoncire l'enfant, et ils l'appelaient Zacharie, le nom de son père. Mais, Élizabeth prit la parole et dit: non; il sera appelé Jean. Tout le monde était étonné. Car selon la coutume en Israël, l'enfant devrait porter le nom de son père ou d'un de ses parents. Ils demandèrent à Zacharie de donner un nom à l'enfant. Zacharie écrivit: "Jean est son nom". Tous furent dans l'étonnement.

Au même instant, sa bouche s'ouvrit; sa langue se délie et il parla. Il glorifiait et bénissait le nom de Dieu. La crainte s'empara de tous les habitants d'alentour.

Animé du Saint-Esprit et d'un coeur rempli de reconnaissance, Zacharie exaltait l'Éternel dans ce cantique de gloire:

CANTIQUE DE ZACHARIE LUC 1: *69-79*

Béni soit le Seigneur, le Dieu d'Israël,
De ce qu'il a visité et racheté son peuple,
Et nous a suscité un puissant Sauveur
Dans la maison de David, son serviteur,

Comme il l'avait annoncé par la bouche
De ses saints prophètes des temps anciens,
Un Sauveur qui nous délivre de nos ennemis
Et de la main de tous ceux qui nous haïssent!
C'est ainsi qu'il manifeste sa miséricorde envers nos pères,
Et se souvient de sa sainte alliance,

Selon le serment par lequel il avait juré à Abraham, notre père,
De nous permettre, après que nous serions délivrés
De la main de nos ennemis, De le servir sans crainte,

En marchant devant lui dans la sainteté
Et dans la justice tous les jours de notre vie.
Et toi, petit enfant, tu seras appelé prophète
Du Très Haut; Car tu marcheras devant la face du Seigneur,

Pour préparer ses voies,
Afin de donner à son peuple la connaissance du salut
Par le pardon de ses péchés,
Grâce aux entrailles de la miséricorde de notre Dieu,

En vertu de laquelle le soleil levant nous a visités d'en haut,
Pour éclairer ceux qui sont assis dans les ténèbres
Et dans l'ombre de la mort,
Pour diriger nos pas dans le chemin de la paix.

DAVID

David, qui signifie bien-aimé, fut le cadet des huit fils d'Isaï, son père qui fut aussi appelé Jessé. 1 Samuel 16: 10-11; 17: 12-14. Sa mère fut très pieuse et fut mentionnée avec tendresse et un sentiment de piété, dans les psaumes 86:16 et116:16. Comme notre sauveur, il était né et grandi à Bethlehem en Judée, mais pas la même période. Car David a vécu mille treize ans avant la naissance de notre sauveur. Puisque Jésus est descendant humain de David, le langage biblique l'a appelé fils de David. Mathieu 1:1.

À un très jeune âge, il était chargé du soin des brebis de son père. Étant élevé dans la piété et dans toute la sagesse de Dieu, le plein air était une occasion favorable pour être en constante relation avec son divin Maître. Fougueux, intrépide, et ayant sur lui l'Esprit de Dieu, il écrasait lions et ours qui venaient attaquer ses brebis. 1 samuel 16:11; 17: 34-36.

Il était gratifié de dons remarquables de musique. Il était reconnu comme le musicien le plus talentueux d'Israël. Il était en même temps compositeur et chanteur. Lorsque l'Éternel eut rejeté le roi Saül, il dépêcha le prophète Samuel à Bethlehem et lui commanda d'oindre David pour le succéder, mais sans proclamation ouverte pour éviter les représailles de Saul et ses sujets.

Après cela, Saül a perdu la protection de Dieu, fut hanté par un mauvais esprit qui l'a assujetti à la mélancolie et à des crises de démence. Ses serviteurs le conseillèrent d'employer un harpiste dont la musique calmerait son agitation. Comme David fut reconnu par le plus grand nombre comme un excellent musicien et un vaillant jeune homme, il était recommandé au roi qui l'a employé sans moindre objection. Enfin de compte, sa musique apaisa la folie du roi et son caractère le plut aussi. Ainsi, il demanda à Jessé, le père de David de le laisser à la cour royale et en fit l'un de ses écuyers (1 Samuel 16:16-23; 2 Samuel 18:15). Puisqu'il était chargé de porter le bouclier du roi, Il l'accompagnait partout où il allait. David qui était très curieux, apprenait de tout: la guerre, la monarchie, des hommes éminents, amis du roi, le bon et le mauvais côte de la cour du roi.

David ne se contentait pas de l'honneur d'être employé du roi, pour oublier ses brebis. Quand David remarqua que le mauvais esprit s'écarta du roi, il lui demanda de le laisser partir, pour aller aider son père avec les brebis. Cette demande lui fut accordée, mais ses frères: Éliab, Abimab, et Shamma restèrent avec le roi.

Durant son absence, les Philistins déclarèrent la guerre contre Juda et campèrent à Soco, une ville de Juda. Comme poussé par la providence de Dieu, Isaï envoya David, sans s'informer de la guerre, apporter de la provision à ses frères et de s'enquérir de leurs nouvelles. Pendant ce temps, les armées des Philistins ayant pour appui le puissant Goliath, ont fait trembler toute l'armée d'Israël. Il était décrit par la bible comme suit: il avait une taille de six coudées et un ampan. Les informations mathématiques nous conduisent à ce calcul: une coudée est égale à deux ampans, plus un ampan. Deux ampans sont égaux à 55 centimètres. Donc, Goliath avait une hauteur de (55x6)+ 27.5)=

357.5 cm; un pied équivaut a 30. 48 cm; en divisant 357.5 par 30, 48 (357,5 : 30.48), ça donne 10, 83 pieds, ce qui équivaut à deux fois la taille normale d'un être humain, plus de deux fois la hauteur de David. Il était même qualifié de géant. Non seulement il avait une hauteur qui inspirait la terreur, sa force était indomptable. La description de son armure révélait sa force. Il avait sur sa tête une casque d'airain; il portait une cuirasse à écailles du poids de cinq mille sicles d'airain; il avait aux jambes une armure d'airain et un javelot d'airain entre les épaules; le poids de sa lance était comme une ensouple de tisserand, et la lance pesait six cents sicles de fer.

Il s'imposait et présentait ce défi à Israël: "Choisissez un homme qui descende contre moi! S'il peut me battre et qu'il me tue, nous vous serons assujettis, mais si je l'emporte sur lui et que je le tue, vous nous serez assujettis et vous nous servirez". Confiant sur sa force indomptable, le feu de son orgueil s'enflamma: "Je jette en ce jour un défi à Israël! Donnez-moi un homme et nous nous battrons ensemble". À entendre ces paroles, le roi Saul, sa puissante armée et tout Israël furent terrifiés et saisis d'une grande crainte. Ce fut alors, en ce moment, que David arriva. Pendant qu'il salua ses frères, Goliath s'approcha et tint ces mêmes paroles. David l'entendit. Indigné, il s'exclama: "Qui est donc ce Philistin, cet incirconcis, pour insulter l'armée de l'Éternel?" Son frère ainé, Éliab, l'accusait d'être orgueilleux et de présomptueux. Il se détournait de lui et répétait la même question.

Les alliés de Saül eurent entendu les paroles prononcées par David. Ils le rapportèrent au roi Saul qui l'envoya chercher. Arrivé auprès du roi, l'incroyable David dit à Saul: "Que personne ne se de courage à cause du Philistin: ton serviteur ira se battre avec lui". Saul souriait, bien sûr, en disant à David: "Tu ne peux pas te battre avec ce Philistin, car tu es un enfant, et Goliath est un homme de guerre dès sa jeunesse". David stimula la confiance de Saul par ces paroles: "Ton serviteur faisait paître les brebis de son père; quand un lion ou un ours venait enlever une du troupeau, je courais après lui; je le frappais et je le tuais. C'est ainsi que ton serviteur a protégé les brebis de son père. David ajouta: " l'Éternel qui m'a délivré des loups et des ours, me délivrera aussi de la main de Goliath". Convaincu, Saul dit à David: "Va, et que l'Éternel soit avec toi". Maintenant, Saül ordonna que David soit habillé des vêtements militaires. Il plaça sur sa tête un casque d'airain, et le revêtit d'une cuirasse. David ceignit l'épée de Saül pardessus ses habits, et voulut marcher, car il n'avait pas encore essayé. Mais David qui était novice à ces tactiques militaires, dit à Saul: "Je ne puis pas marcher avec cette armure, je n'y suis pas accoutumé". Et il s'en débarrassa. Son seul équipement fut : un bâton, cinq pierres polies qu'il a mises dans sa gibecière de berger et dans sa poche, et sa fronde à la main. Il se sentait complètement débarrassé.

Puis, il prit sa fronde et s'avança vers le Philistin qui lui dit: "Suis-je un chien, pour que tu viennes à moi avec des bâtons? Viens vers moi, je donnerai ta chair aux oiseaux du ciel et aux bêtes des champs".

David lui répondit: "Tu marcheras contre moi avec l'épée, la lance et le javelot; et moi je marche contre toi au nom de l'Éternel des armées, du Dieu de l'armée d'Israël que tu as insulté. Je me battrai avec toi et je serai vainqueur. Et toute la terre saura qu'Israël a un Dieu. Et toute cette multitude saura que ce n'est ni par l'épée, ni par lance que l'Éternel sauve. Car la victoire appartient à l'Éternel".

David prit une pierre, la plaça dans sa fronde qu'il lança vers le Philistin. La pierre s'enfonça dans son front et il tomba face contre terre. Donc l'Éternel a accordé la victoire et a délivré Israël des mains puissantes de Goliath.

Ensuite, l'Éternel a délivré David de trois attentats de Saül.

1. Bien que David ait servi Saül avec bravoure et fidélité, il était jaloux quand bien même de ses exploits, et tenta de le tuer plusieurs fois.

2. Il pria Jonathan, son fils et tous ses autres serviteurs de le tuer. Jonathan qui était un ami fidèle à David, lui en informa et lui avait averti d'être sur ses gardes.

3. Toute de suite après une seconde victoire que David a remportée sur les Philistins, au lieu de le récompenser et de célébrer avec lui, son coeur gonfla de jalousie et essaya de le tuer.

Alors, le mauvais esprit venant de l'Éternel fut sur Saül qui était assis dans sa maison, sa lance à la main. Encore une fois, David se mit au service de Saül, en jouant de la harpe pour chasser son mauvais esprit. Pendant ce temps, la jalousie était si intense dans son coeur qu'il lança sa lance pour trancher David. Il s'en échappa et prit la fuite.

Saül envoya des gens vers la maison de David pour le garder et le faire mourir. Mical, fille de Saül et femme de David, lui en a informé et l'a fait échapper à travers la fenêtre.

David réalisa que Saül chercha à tout prix, à le faire périr. Dans son désespoir, il se refugia dans le pays de Philistins avec six cents hommes, leurs femmes et leurs enfants. Ils se rendirent à Akish, roi de Gath, pays des philistins. Il leur demanda un lieu de séjour, et le roi lui donna Tsiklkag.

David a remporté plusieurs victoires pour Akish, qui suscitèrent en lui une grande affection pour ce jeune homme. Mais, les Philistins qui l'ayant méfié, ont demandé au roi Akish de le congédier. Le roi lui a informé de cette regrettable décision. David en fut attristé. Au retour de sa rencontre avec le roi, il s'est trouvé que les Amélicites avaient fait une invasion à Tsiklag. Ils ont fait prisonniers les femmes et tous ceux qui s'y trouvaient, petits et grands. Mais, l'Éternel ne leur permit de leur faire aucun mal, à cause de David, son bien-aimé. Parmi les captifs étaient aussi ses deux femmes et ses serviteurs.

Ses derniers, minés de peine et d'amertume, en voulaient à sa vie pour leurs femmes et leurs enfants. Il était affaibli à force de pleurer. Dans sa faiblesse, il se tourna vers son Dieu et lui demanda: "Poursuivrai-je cette troupe?" Et, l'Éternel lui répondit: "Poursuis". C'est tout ce que David a voulu entendre de son Dieu qui, quand il parle, la chose arrive. David dont la foi en son Dieu n'est jamais teintée, poursuivaient ses envaillisseurs avec six cents hommes. Chemin faisant, deux cents d'entre eux étaient trop fatigués pour continuer. Ils s'arrêtèrent, et David continuait avec les quatre cents qui restèrent. L'Éternel lui envoya l'un de ceux qui l'assistaient à l'invasion de Tsiklag. Qu'on puisse deviner qu'il était l'un des membres de l'armée de l'Éternel. Cet homme a conduit David vers ses envahisseurs.

En arrivant, il trouva les Amélicites disséminés dans la contrée, mangeant, buvant et dansant, se réjouissant du grand butin qu'ils avaient enlevé. David les surprit, les battit et sauva tout ce que les Amélicites lui furent enlevés. Il ne lui manqua personne, ni petits, ni grands, ni fils, ni filles, ni rien de ce qui lui fut enlevé. Ce jour-là, l'Éternel a accordé à David une victoire et une délivrance sans précédentes.

Après s'être réjoui encore de plus grandes victoires et délivrances, il a maintenant pris du temps pour passer en revue toutes les victoires et les délivrances que l'Éternel lui a accordées en partage de la main sanglante de tous ses ennemis, spécialement de la main de Saul, David a composé ce cantique pour déposer aux pieds de Dieu incroyablement fidèle et tout-puissant, la coupe de sa profonde reconnaissance.

CANTIQUE DE DAVID 2 SAMUEL 22: 1-51

L'Éternel est mon rocher, ma forteresse, mon libérateur.
Dieu est mon rocher, où je trouve un abri,
Mon bouclier et la force qui me sauve,
Ma haute retraite et mon refuge.
O mon Sauveur! tu me garantis de la violence.

Je m'écrie: Loué soit l'Éternel!
Et je suis délivré de mes ennemis.
Car les flots de la mort m'avaient environné,
Les torrents de la destruction m'avaient épouvanté;

Les liens du sépulcre m'avaient entouré,
Les filets de la mort m'avaient surpris.
Dans ma détresse, j'ai invoqué l'Eternel,
J'ai invoqué mon Dieu;

De son palais, il a entendu ma voix,
Et mon cri est parvenu à ses oreilles.
La terre fut ébranlée et trembla,
Les fondements des cieux frémirent,
Et ils furent ébranlés, parce qu'il était irrité.

Il s'élevait de la fumée dans ses narines,
Et un feu dévorant sortait de sa bouche:
Il en jaillissait des charbons embrasés.
Il abaissa les cieux, et il descendit:
Il y avait une épaisse nuée sous ses pieds.

Il était monté sur un chérubin, et il volait,
Il paraissait sur les ailes du vent.
Il faisait des ténèbres une tente autour de lui,
Il était enveloppé d'amas d'eaux et de sombres nuages.

De la splendeur qui le précédait
S'élançaient des charbons de feu.
L'Éternel tonna des cieux,
Le Très-Haut fit retentir sa voix;

Il lança des flèches et dispersa mes ennemis,
La foudre, et les mit en déroute.
Le lit de la mer apparut,
Les fondements du monde furent découverts,

Par la menace de l'Éternel,
Par le bruit du souffle de ses narines.
Il étendit sa main d'en haut, il me saisit,
Il me retira des grandes eaux;

Il me délivra de mon adversaire puissant,
De mes ennemis qui étaient plus forts que moi.
Ils m'avaient surpris au jour de ma détresse,
Mais l'Éternel fut mon appui.
Il m'a mis au large,

Il m'a sauvé, parce qu'il m'aime.
L'Éternel m'a traité selon ma droiture,
Il m'a rendu selon la pureté de mes mains;

Car j'ai observé les voies de l'Éternel,
Et je n'ai point été coupable envers mon Dieu.
Toutes ses ordonnances ont été devant moi,
Et je ne me suis point écarté de ses lois.

J'ai été sans reproche envers lui,
Et je me suis tenu en garde contre mon iniquité.
Aussi l'Eternel m'a rendu selon ma droiture,
Selon ma pureté devant ses yeux.
Avec celui qui est bon tu te montres bon,
Avec l'homme droit tu agis selon la droiture,
Avec celui qui est pur tu te montres pur,
Et avec le pervers tu agis selon sa perversité.

Tu sauves le peuple qui s'humilie,
Et de ton regard, tu abaisses les orgueilleux.
Oui, tu es ma lumière, ô Éternel!
L'Éternel éclaire mes ténèbres.

Avec toi je me précipite sur une troupe en armes,
Avec mon Dieu je franchis une muraille.
Les voies de Dieu sont parfaites,
La parole de l'Éternel est éprouvée;

Il est un bouclier pour tous ceux qui se confient en lui.
Car qui est Dieu, si ce n'est l'Éternel?
Et qui est un rocher, si ce n'est notre Dieu?
C'est Dieu qui est ma puissante forteresse,
Et qui me conduit dans la voie droite.

Il rend mes pieds semblables à ceux des biches,
Et il me place sur mes lieux élevés.
Il exerce mes mains au combat,

Et mes bras tendent l'arc d'airain.

Tu me donnes le bouclier de ton salut,
Et je deviens grand par ta bonté.
Tu élargis le chemin sous mes pas,
Et mes pieds ne chancellent point.

Je poursuis mes ennemis, et je les détruis;
Je ne reviens pas avant de les avoir anéantis.
Je les anéantis, je les brise, et ils ne se relèvent plus;
Ils tombent sous mes pieds.

Tu me ceins de force pour le combat,
Tu fais plier sous moi mes adversaires.
Tu fais tourner le dos à mes ennemis devant moi,
Et j'extermine ceux qui me haïssent.

Ils regardent autour d'eux, et personne pour les sauver!
Ils crient à l'Eternel, et il ne leur répond pas!
Je les broie comme la poussière de la terre,
Je les écrase, je les foule, comme la boue des rues.

Tu me délivres des dissensions de mon peuple;
Tu me conserves pour chef des nations;
Un peuple que je ne connaissais pas m'est asservi.
Les fils de l'étranger me flattent,

Ils m'obéissent au premier ordre.
Les fils de l'étranger sont en défaillance,
Ils tremblent hors de leurs forteresses.
Vive l'Éternel, et béni soit mon rocher!
Que Dieu, le rocher de mon salut, soit exalté,

Le Dieu qui est mon vengeur,
Qui m'assujettit les peuples,
Et qui me fait échapper à mes ennemis!
Tu m'élèves au-dessus de mes adversaires,

Tu me délivres de l'homme violent.

C'est pourquoi je te louerai parmi les nations, ô Eternel!
 Et je chanterai à la gloire de ton nom.
 Il accorde de grandes délivrances à son roi,
 Et il fait miséricorde à son oint,
 À David, et à sa postérité, pour toujours.

MORALÈS

Vous êtes à peine été informés de l'origine et de la croissance de
ma vie en Christ, où je vous ai déjà raconté les merveilles mémorables
que le Dieu qui lit les cœurs et les reins, a accomplies dans ma vie,
et mes supplications au Très-Haut de m'accorder la grâce d'ajouter
mon cantique à ceux de ses saints serviteurs: Moïse, Debora, Anne,
Marie, Zacharie, et David. Il a exaucé ma prière. Maintenant, chantez
avec moi, ce cantique de parfaite reconnaissance, adressée à ce Dieu
Éternel, ce rédempteur adorable; ce Dieu qui par son omniscience, son
omnipotence et son omniprésence, a déchiré le filet de l'oiseleur et m'a
sauvé par la puissance de sa droite.

CANTIQUE DE MORALÈS

Où me suis-je trouvé?
Et où m'as-tu placé,
Roi des nations,
Roi des siècles?

Toi dont la décision est arrêtée,
Et la bénédiction, finale.
Qui peut ajouter ou soustraire
À tes bénédictions?

Toutes tes décisions sont justes,
Et tes actions parfaites.

Où me suis-je trouvé,
Et où m'as-tu placé,
Roi de gloire,
Sagesse infinie?

En compagnie de mon sauveur, Jesus-Christ?
En siège avec Moïse, Debora, Anne,
Marie, Zacharie?
De la poussière de la terre,
Tu m'as relevé.

Descendant d'un petit campagnard
Sans espérance,
J'étais perdu dans la forêt.
Tu m'as cherché ! Tu m'as cherché !
Tu m'as trouvé dans les bois

Tu m'as élevé ! tu m'as élevé !
Au-delà de ce que je n'aurais
Jamais pensé et rêvé.
Oh, combien tu es merveilleux !

Suis-je devenu un rêveur insensé?
Non, je ne rêve pas;
Non, je ne perds pas mon bon sens!
Vérité sans mélange !

Car tu t'es déjà révélé à mes dévanciers.
Ils ont cru et ont vu ta gloire.
Ils m'ont parlé de tes merveilles;
Ils m'ont instruit sur tes prodiges.

Ils m'ont appris que ta compassion
Se penche vers les opprimés;
Que par la puissance de ta droite,
Tu as détrôné des rois invincibles.

Tu as brisé l'arc d'Argon,
Roi redoutable de Basan,
Et de Sihon,
Roi puissant des Amoréens.

Qui est et qui sera jamais comme toi,
Sur la terre et dans les cieux?
Par la puissance de ta droite,
Tu as dressé une table
En face des adversaires de tes serviteurs.

Ils ont dressé des guet-à- pan pour surprendre tes saints.
Ils ont envoyé des charcals et des autruches pour les dévorer.
Ta droite les a surpris dans toute leur force,
Et tu as délivré tes saints.

Tu nous considères comme la prunelle de tes yeux,
Qui peut nous détruire?
Tu vis éternellement, ô mon Dieu,
Et ta puissance dure à jamais.

J'ai entendu,
J'ai vu,
Et j'ai attesté que tu es le seul vrai Dieu.
Tu n'as ni commencement, ni fin.

Tu as vécu par toi-même,
Avant le commencement des temps.
Tu es le créateur du temps,
Du ciel et de la terre!

Que tout ce qui existe,
S'humilie devant toi,
Pour chanter à l'unisson:
VÉRITABLE ! VÉRITABLE !
TU ES LE DIEU VÉRITABLE !
Tu es digne de notre adoration

Tu es digne de notre amour
Tu es digne de notre confiance
Tu es digne de nos louanges
Et que tu vives éternellement
Amen! Amen! Amen!

Milton Keynes UK
Ingram Content Group UK Ltd.
UKHW020749220424
441547UK00009B/55